rowohlts monographien

HERAUSGEGEBEN
VON
KURT KUSENBERG

—

JAKOB BÖHME

IN
SELBSTZEUGNISSEN
UND
BILDDOKUMENTEN

—

DARGESTELLT
VON
GERHARD WEHR

ROWOHLT

Dieser Band wurde eigens für «rowohlts monographien» geschrieben
Den Anhang besorgte der Autor
Herausgeber: Kurt Kusenberg · Redaktion: Beate Möhring
Schlußredaktion: K. A. Eberle
Umschlagentwurf: Werner Rebhuhn
Vorderseite: Jakob Böhme. Anonymes zeitgenössisches Gemälde
(Ullstein-Bilderdienst, Berlin)
Rückseite: Die Schusterwerkstatt im Böhme-Museum, Görlitz
(Staatsbibliothek Berlin)

Veröffentlicht im Rowohlt Taschenbuch Verlag GmbH,
Reinbek bei Hamburg, August 1971
© Rowohlt Taschenbuch Verlag GmbH, Reinbek bei Hamburg, 1971
Alle Rechte an dieser Ausgabe vorbehalten
Gesetzt aus der Linotype-Aldus-Buchschrift
und der Palatino (D. Stempel AG)
Gesamtherstellung Clausen & Bosse, Leck/Schleswig
Printed in Germany
ISBN 3 499 50179 1

INHALT

IACOB BÖHME TEUTONIC,
Gebohren zu altseydeburg. Anno 1575. Gestorben in Görlitz Anno 1624.

Im waſſer lebt der fiſch. die pflanzen in der erde,
Der Vogel in der luſſt. die Sonn im firmament.
Der Salamander mus in feur erhalten werden,
Und Gottes Herz iſt Iacob Böhmens Element.

Reformatio generalis, Generalreformation der ganzen Welt! So lautet die Parole, die an der Wende vom 16. zum 17. Jahrhundert vielerorts ausgegeben wird.

Luther ist zu dieser Zeit ein halbes Jahrhundert tot. Die Reformation Luthers, Zwinglis und Calvins mit ihrer Botschaft von der Rechtfertigung des Sünders, «sola gratia, sola fide – allein aus Gnaden, allein durch den Glauben», hat sich in erster Linie auf dem religiös-theologischen Feld abgespielt. Luthers reformatorisches Formalprinzip «Sola scriptura – allein die Schrift» hat die Sache des mit dem allgemeinen Priestertum aller Gläubigen betrauten Volkes zu einer speziellen Theologenangelegenheit gemacht. Politisch-gesellschaftliche Konsequenzen zu ziehen – man denke an Thomas Münzer und das Aufbegehren der Bauern – wurde als frevlerischer Angriff auf die «von Gott verordnete Obrigkeit» empfunden und geahndet. Wer es gar wagte, vom «inneren Wort» zu sprechen, wie es unter anderen der schlesische Adelige Caspar von Schwenckfeld (1489–1561) tat, den brandmarkte man als Schwarmgeist, den verfolgte und verleumdete man.

Nun tobt sich die rabies theologorum in Disputationen, Streit- und Bekenntnisschriften aus. Da heißt es nicht nur: «Wir glauben, lehren und bekennen»; da heißt es auch: «Daher verdammen wir ...» Der Streit um die «reine Lehre» im Zeitalter der nachlutherischen Orthodoxie beschränkt sich jedoch keineswegs auf die Seminare und Hörsäle der hohen Schulen. Bis in Predigt und Verkündigung hinein setzt er sich fort, als habe man es darauf abgesehen, die gemeinschaftsbildende Kraft des Evangeliums mit dem Spaltpilz der Zwietracht zu infizieren.

Nicht erst seit dem Augsburger Religionsfrieden von 1555 hat der durch Luther als Notbischof eingesetzte Landesherr in Glaubensdingen ein gewichtiges Wort mitzureden. Den Streit, der in Theologenhirnen begonnen hat, gilt es mit dem Blut der anvertrauten «Seelen» auf dem Schlachtfeld zu besiegeln. Wo die theologische Argumentation nicht verfängt, muß das Schwert des militärisch Stärkeren entscheiden. Der Dreißigjährige Krieg (1618–48) macht schließlich den Widersinn dieses Unterfangens offenbar.

Um die Jahrhundertwende ist aber nicht allein der Kampf zwischen Protestantisch und Römisch-katholisch auszutragen, der sich unter anderem in den kirchenpolitischen Aktionen der Gegenreformation darstellt. Es geht auch nicht nur um den innerprotestantischen Diskurs, in dem, von den Reformatoren her gesehen, Wiedertäufer und Antitrinitarier, «Schwärmer und Sektierer» auszuschalten sind. Während die Vertreter der verschiedenen konfessionalistischen Fronten bald um dogmatische Formulierungen, bald um Territorien und Einflußsphären feilschen, ist längst ein neues Zeitalter angebrochen. Eine neue Wissenschaftsgesinnung setzt sich gegen die Philosophie des mittelalterlichen Aristotelismus der alten Kirche durch. «De revolutionibus orbium caelestium» hatte

Jakob Böhme. Anonymer Kupferstich, 17. Jahrhundert

ALTERIVS NON SIT ✦ QVI SVVS ESSE POTEST

Nikolaus Kopernikus (1473–1543) seine programmatische Schrift genannt, mit der das geozentrische Weltbild durch das heliozentrische ersetzt werden konnte. Das Revolutionäre kann am Lauf der Gestirne abgelesen werden. Durch die Verbindung von Mathematik und naturwissenschaftlicher Beobachtung lassen sich die Sentenzen und Meinungen der Alten durch konkrete Erfahrungen verdrängen, durch Empirie das Buchwissen. Diese Wende markiert bereits Theophrastus Bombastus von Hohenheim, genannt Paracelsus (1493–1541), der sagt: «So wisset nun ... daß die Bücher, so an euch und an mich von den Alten her gelangt sind, mich genugsam zu sein nicht gedeucht haben, denn sie sind nicht vollkommen, sondern sie stellen eher eine ungewisse [unzuverlässige] Schrift dar, die mehr zur Verführung dient als zum Beschreiten des rechten [zuverlässigen] Wegs. Aus dem gleichen Grund habe ich sie verlassen.»[1]*

Mit der Entwicklung der modernen Naturwissenschaft geht die Entwicklung und fortschreitende Präzisierung der dafür nötigen technischen Apparaturen Hand in Hand. Hans Lippershey aus Middelburg in Holland erfindet im Jahre 1608 das Teleskop, das wiederum Galileo Galilei anregt, ein Instrument zu konstruieren, mit dem er die Jupitermonde nachweisen und dem naturphilosophischen Aristotelismus einen weiteren empfindlichen Stoß versetzen kann. So werden nach und nach die Grundlagen zu den einzelnen naturwissenschaftlichen Disziplinen gelegt. René Descartes (1596–1650) liefert in seinem berühmten Werk «Discours de la méthode» (1637) die philosophische Methode für die neue Denkrichtung, die die Tore zur Aufklärung aufstoßen hilft. Mit der Formel «Cogito ergo sum – ich denke, also bin ich» wird der Zweifel zum Ansatzpunkt für das kritische Denken und Forschen erklärt. Damit läßt sich jenes imposante Bild von Mensch und Welt entwerfen, in dem Maß, Zahl und Gewicht die entscheidenden Kriterien für die Beurteilung von Wirklichkeit darstellen. Damit ist freilich auch der kartesische Erkenntnishorizont klar abgegrenzt.

Wesentlich im Blick auf den Menschen ist aber dies: Am Gegen-Stand der Welt erwacht der Mensch zu sich selbst, er erlangt Bewußtsein seiner selbst in zunehmendem Maße. Der Mensch tritt aus den Bindungen alter Ordnung heraus und erlebt sich als ein autonomes Ich – ein Prozeß, der sich im Zeitalter der Renaissance angekündigt und im Humanismus einen Namen gegeben hat. «Gott als moralische, politische, naturwissenschaftliche Arbeitshypothese ist abgeschafft, überwunden ... Es gehört zur intellektuellen Redlichkeit, diese Arbeitshypothese fallenzulassen bzw. sie so weitgehend wie irgend möglich auszuschalten ...»[2], so könnte man mit Dietrich Bonhoeffer (1906–45) fortfahren. (Daß derlei Gedankengänge einen modernen protestantischen Theologen noch im Konzentrationslager des Dritten Reiches umtreiben können, zeigt, wieviel Zeit die Verarbeitung dieser Tatbestände beansprucht hat. Dabei rechnet Bonhoeffer offensichtlich auch künftig mit «pfäffischen Kniffen», durch die die Situation des Menschen, die mindestens seit dem Beginn des 17. Jahrhunderts besteht, vertuscht werden könnte.)

---

* Die hochgestellten Ziffern verweisen auf die Anmerkungen S. 135 f.

Der Mensch am Anfang des 17. Jahrhunderts, Jakob Böhme und seine Mitwelt stehen jener Problematik gegenüber, die sich aus der Bewußtseinslage zwischen den beiden Epochen, der vergehenden und der heraufkommenden, ergibt, wenn sich auch nur wenige eine klare Einsicht in die Zusammenhänge und in die Folgerichtigkeit der Entwicklung zu verschaffen wissen. Auf der einen Seite gelingt Schritt für Schritt die Eroberung und Erschließung der Außenwelt. Die naturwissenschaftliche Methode erweist sich als ein brauchbarer Erkenntnisweg, jedenfalls soweit es sich um die zählbare, meßbare, wägbare Seite der Wirklichkeit handelt. Andererseits darf man nicht vergessen, daß auch die prominenten Vertreter der neuen Wissenschaftsrichtung geistig-seelisch im Erbe der Väter verwurzelt sind. Der Protestant Johannes Kepler (1571–1630), bald auf der Flucht vor den Katholiken, bald vor seinen eigenen Glaubensgenossen, treibt nicht ganz zufällig auch noch, immer noch, Astrologie, um sich seinen Lebensunterhalt zu verdienen. Wie bei vielen seiner Zeitgenossen basiert auch sein naturwissenschaftliches Forschen auf einer tief religiösen Grundlage. Die Erklärung der meßbaren, errechenbaren Naturerscheinungen ist ihm nur möglich, weil für ihn die spirituelle Realität eines letztlich Unwägbaren Gewißheit ist. In der Vorrede zu seinem Buch über die Harmonien des Weltalls liest man: «Möchten doch diese himmlischen Harmonien etwas dazu beitragen, auch die Harmonie in Kirche und Staat wieder herbeizuführen. Gott, der Arzt, schneidet jetzt und brennt, um den unglücklichen Kranken zu heilen. Aber dieser, noch irre redend im Fieberwahn, will seine wohlwollende Absicht nicht anerkennen. Möge doch die Eintracht, die in den Weltensystemen hervorleuchtet, uns zum Muster dienen, ebenso in Frieden und Einklang zu leben.»

Demnach teilt Kepler die Überzeugung all derer, die davor zurückschrecken, Weltall, Erde und Mensch einzig und allein dem sezierenden, analysierenden, nach einem mechanistischen Denkmuster arbeitenden Verstand der an Teleskopen und Mikroskopen arbeitenden Forscher auszuliefern. Sie, etwa auch die Alchimisten und Schüler des Paracelsus, haben in Kaiser Rudolf II. einen verständnisvollen Förderer ihrer Künste gewonnen. Viele von ihnen, so den Schwaben Kepler und den Dänen Tycho Brahe (1546–1601) oder den Nürnberger Alchimisten Michael Maier, als Leibarzt, hat der Kaiser an seinen Prager Hof zu ziehen gewußt. (Rudolf II. ist 23 Jahre älter als Böhme.) Für sie alle haben Natur und Wirklichkeit noch einen verborgenen Sinngehalt, der sich nur dem Esoteriker, dem Wissenden erschließt. Als Menschen, die auf die Innenseite des Seienden acht haben, pflegen sie eine Welterkenntnis, die über das Rationale hinausgeht, ohne es im vornherein zu mißachten. Sie huldigen einem erneuerten Platonismus, der den Blick jedoch nicht etwa in die geistige Welt der Ideen allein richtet, sondern bewußt die Natur in allen ihren Gestaltungen zu erforschen trachtet. Diese Naturforschung hat es – im Gegensatz zu der modernen, kritischen – jedoch nicht in erster Linie mit Quantitäten zu tun, die dem Gesetz von Maß, Zahl und Gewicht unterliegen, sondern mit Qualitäten, in denen Sinnliches und Übersinnliches, Natur und Geist, Glaube und Wissen als eine Einheit erfahren werden.

Wer, wie Paracelsus sagt, die «signatura rerum», die Symbol- und Merkzeichen der Dinge, kennt, zu dem reden die Dinge in ihrer eigenen, unverwechselbaren Sprache. Will er wiederum davon Kunde geben, so muß er sich einer Ausdrucksweise bedienen, die in ihrer Symbolhaltigkeit, nicht nur in ihrer Buchstäblichkeit ernst genommen wird. Der heutige Leser dieser angeblich nur «vorwissenschaftlichen» Schriften müßte anders die Intention der Autoren jener Epoche völlig verfehlen. Das trifft auch auf Jakob Böhmes eigene Werke zu, der sich in seinen Schriften der hier gemeinten Erkenntnisart verpflichtet zeigt. Bezeichnenderweise ist eines der späten Bücher mit *De signatura rerum* (1621–22) betitelt. Dort heißt es:

Und ist kein Ding in der Natur, das geschaffen oder geboren ist, es offenbaret seine innere Gestalt auch äußerlich, denn das Innerliche arbeitet stets zur Offenbarung, als wir solches an der Kraft und Gestaltnis dieser Welt erkennen, wie sich das ewige Wesen mit der Ausgebärung in der Begierde hat in einem Gleichnis offenbaret, wie es sich hat in so viel Formen und Gestaltnisse offenbaret, als wir solches an Sternen und Elementen, sowohl an den Kreaturen, auch Bäumen und Kräutern sehen und erkennen.

Darum ist in der Signatur der größte Verstand, darinnen sich der Mensch (als das Bild der größten Tugend) nicht allein lernet selber ken-

Johann Valentin
Andreä. Anonymer
Kupferstich,
17. Jahrhundert

nen, sondern er mag auch darinnen das Wesen aller Wesen lernen kennen. Denn an der äußerlichen Gestaltnis aller Kreaturen, an ihrem Trieb und Begierde, item an ihrem ausgehenden Hall, Stimme und Sprache, kennet man den verborgenen Geist, denn die Natur hat jedem Dinge seine Sprache (nach seiner Essenz und Gestaltnis) gegeben, denn aus der Essenz urständet die Sprache oder der Hall, und derselben Essenz Fiat formet der Essenz Qualität in dem ausgehenden Hall oder Kraft, den lebhaften im Hall und den essentialischen im Ruch, Kraft und Gestaltnis. Ein jedes Ding hat seinen Mund zur Offenbarung.

Und das ist die Natursprache, daraus jedes Ding aus seiner Eigenschaft redet und sich immer selber offenbaret und darstellet, wozu es gut und nütz sei, denn ein jedes Ding offenbaret seine Mutter, die die Essenz und den Willen zur Gestaltnis also gibt.[3]

Der so Forschende ist demnach in die Lage versetzt, ins Herz der Dinge zu blicken. Er steht nicht einem passiven Objekt gegenüber, einem Es, sondern eher einem Du im Sinne Martin Bubers.

Einer zweiten oder Generalreformation haben sich zu Beginn des 17. Jahrhunderts auch jene verschrieben, die im Zeichen des Rosenkreuzes angetreten sind. Als geistiger Inspirator der Rosenkreuzer wird Christian Rosenkreutz (1378–1484), eine historisch nicht faßbare Gestalt, angesehen. Auffälligerweise beginnt das rosenkreuzerische Schrifttum eben zu jenem Zeitpunkt zu erscheinen, da einerseits Galilei (1616) seiner kopernikanischen Anschauungen wegen vermahnt und dann angeklagt wird, andererseits kommt 1613 das Buch *Morgenröte im Aufgang* in Umlauf. Im Jahre 1614, als die holländische Kolonie Neu-Amsterdam dort gegründet wird, wo heute New York steht, erscheint bei Wilhelm Wessel in Kassel als anonyme Veröffentlichung die deutsche Übersetzung «Allgemeine und Generalreformation der ganzen weiten Welt», ein Auszug aus einem Werk des Traiano Boccalini (1556–1613), und «Fama Fraternitatis oder Entdeckung der Brüderschaft des hochlöblichen Rosenkreuzes, an alle Häupter, Stände und Gelehrte Europas». Ein Jahr später folgt vom gleichen Verlagsort aus «Confessio Fraternitatis», die zweite Rosenkreuzerschrift; wieder ein Jahr später verlegt Lazarus Zetzner in Straßburg als drittes Rosenkreuzerbuch die «Chymische Hochzeit: Christiani Rosencreutz, Anno 1459». Eine handschriftliche Version ist

Titelblatt der Rosenkreuzerschrift «Chymische Hochzeit», 1616

«Bienen» (Rosenkreuzer) umschwärmen das Rosenkreuz.
Aus Robert Fludd: «Summum Bonum», Frankfurt a. M. 1626

Jahre zuvor bekannt geworden. Als Autor gilt der schwäbische Theologe und Polyhistor Johann Valentin Andreä (1586–1654).

Rosenkreuzer und Pansophen sind sich darin einig, daß das Werk der Reformatoren fortgeführt und auf die Erkenntnis des gesamten Kosmos ausgeweitet werden müsse. So wie Karl Marx im 19. Jahrhundert zu einer Vereinigung aller Proletarier aufruft, bemühen sich Autor und Verbreiter der ersten Rosenkreuzerschriften, denen weitere nachgefolgt sind, um einen ordensmäßigen Zusammenschluß aller rosenkreuzerisch Gesinnten, also jener, die, des kirchlichen, verengten Konfessionalismus müde geworden, nach umfassender Selbst- und Welterkenntnis verlangen. Nicht genug damit; man versucht gleichzeitig, entsprechende Folgerungen für das kulturelle und gesellschaftliche Leben zu ziehen. (Ein Jahrhundert zuvor, 1516, hatte Thomas Morus seine «Utopia» herausgebracht, dem die Staatsentwürfe von Tommaso Campanella und von Francis Bacon im 17. Jahrhundert gefolgt sind.) Der beachtliche Erfolg der dem literarischen Anstoß Andreäs beschieden war, zeigt, welches große Bedürfnis im ersten und zweiten Jahrzehnt des 17. Jahrhunderts dafür bestanden haben muß. Dies ist auch der Zeitpunkt, da ein schlesischer Schuster von sich reden macht. Er heißt Jakob Böhme. Die Zeitgenossen nennen ihn ehrerbietig «Philosophus teutonicus»; andere warnen vor ihm als vor einem gefährlichen Ketzer.

Was der kalabresische Abt Joachim von Fiore bereits im Hochmittel-
alter als den Anbruch des Reichs des Heiligen Geistes seherisch voraus-
genommen hat, scheint sich um die Wende zum 17. Jahrhundert anzu-
bahnen, als (1604–06) ein Komet die Gemüter vieler erregt und apoka-
lyptische Weissagungen Schrecken verbreiten. Da ist es Jakob Böhme,
der den Aufgang der Morgenröte verkündet. Die Hoffnung, die die
Rosenkreuzer «sub rosa» proklamieren, verkündet Böhme im Zeichen
einer aufblühenden Lilie: *Eine Lilie blühet über Berg und Tal, in allen
Enden der Erden. Wer da suchet, der findet. Amen.*[4]

JAKOB BÖHMES LEBENSGANG

«Seine äußerliche Leibesgestalt war verfallen und von schlichtem Ansehen, kleiner Statur, niedriger Stirne, erhobener Schläfe, etwas ge-
krümmter Nase, grau und fast himmelblau glitzernde Augen, sonsten
wie die Fenster am Tempel Salomonis, kurz-dünnen Bartes, kleinlauten-
der Stimme, doch holdseliger Rede, züchtig in Gebärden, bescheiden in
Worten, demütig im Wandel, geduldig im Leiden, sanftmütig von Herzen.»[5] So schildert Abraham von Franckenberg den «hochbegnadeten
deutschen Wundermann» Jakob Böhme, von dem kein einziges zu Lebzeiten gemaltes Bild existiert. Auch die Auskünfte über sein Leben sind
spärlich. Franckenberg, ein Schüler und Freund des Theosophen, hat
einen «gründlichen und wahrhaftigen Bericht von dem Leben und Ab-
scheid des in Gott selig ruhenden Jacob Böhme» verfaßt. Er ist zusammen mit einigen anderen biographischen Aufzeichnungen der Werkausgabe von 1730 beigefügt. Eine Reihe von autobiographischen Ergänzun-
gen sind über Böhmes Schriften verstreut. Sie finden sich vor allem in
den *Theosophischen Sendbriefen* an die Fragesteller und Freunde. Wer
Böhme kennenlernen will, muß sich jedoch in erster Linie an sein Werk
halten. Der äußere Lebenslauf gibt zu wenig her. In diesem Sinn ist die
Bemerkung Franckenbergs zu verstehen: «Seinen über alle Natur von
Gott hocherleuchteten Geist und ganz rein wohlverständliche hochdeut-
sche Redensart hat man aus diesen seinen unverfälschten Schriften in
göttlichem Lichte zu prüfen und zu erkennen.»

Jakob Böhme wurde im Jahre 1575 in dem südlich von Görlitz nahe
der böhmischen Grenze gelegenen Alt-Seidenberg geboren. Geburtstag
und -monat sind nicht mehr zu ermitteln. Den Vater Jakob und die Mutter Ursula stellt Abraham von Franckenberg als «arme und geringe
Bauersleute guter deutscher Art» vor. Richard Jecht hat jedoch nachge-
wiesen, daß die Familie nicht unbegütert gewesen ist. Sie besaß immerhin 16 Ruten, gleich 35 Hektar, Land. An der Kirche von Seidenberg ist
Jakob Böhme (Vater) als Kirchvater (Kirchendiener) in der Reihe von
Hütern und Förderern des Gotteshauses verzeichnet. Kirchvater und Ge-
richtsschöffe war bereits der Großvater Ambrosius. Die Böhmes scheinen
schon lange ortsansässig gewesen zu sein. Wenngleich die unmittelbaren
Vorfahren erst seit Anfang und Mitte des 16. Jahrhunderts nachweisbar
sind, so gab es einen Hans Behme bereits zu Beginn des 14. Jahrhunderts

Schlesische Landschaft. Im Hintergrund das Riesengebirge

in Alt-Seidenberg. Der Familienname samt verschiedenen Abwandlun~ gen kam in der schlesischen Lausitz oft vor. Wichtiger ist der Hinweis daß im Schlesischen und in der Lausitz die Bußprediger und die Anhän~ ger mystischer Lehren Gehör fanden. Die einen kündeten den Anbruch des tausendjährigen Reiches: «Ich glaube gewiß, daß es in Schlesien häu~ fig soziale Gründe waren, die einfache Leute zu Bußpropheten und Weis~ sagern des nahen Endes machten»[6], schreibt Will-Erich Peuckert, de~ schlesische Volkskundler und Böhme-Biograph.

Die mystisch Frommen, die beispielsweise dem Edelmann Caspar vo~ Schwenckfeld aus dem Liegnitzer Kreis nachfolgten, erwarteten von de~ echten Reformation eine umfassende geistliche Erneuerung und distan~ zierten sich mehr und mehr von der «Mauer-Kirche», weil sie sich au~ das göttliche Licht beriefen, welches das biblische Wort beleuchtet. Un~ der lutherische Pfarrer von Zschopau namens Valentin Weigel verstand sich ebenfalls als ein Diener der «Geistkirche», in der man den Christu~ «ohne Bücher und Schrift» haben kann.[7] Nicht zuletzt war Schlesien z~ Böhmes Lebenszeit ein Zentrum für die Jünger des Paracelsus. Hier, i~ Görlitz, wurden paracelsische Schriften kopiert. Bartholomäus Scultetus der Bürgermeister von Görlitz, war als Paracelsist ein gelehrter Mann Peuckert hat gewiß recht, wenn er von einem «paracelsischen und pan~ sophischen Klima jener Jahre» spricht. In diesem Klima hat Böhme ge~ lebt und gewirkt. Es erübrigt sich, zu sagen, daß der Mann, den bereit~ Zeitgenossen den «Philosophus teutonicus» nennen, schwerlich aus sei~ ner Umwelt allein zu erklären ist.

Die Eltern sehen, daß der zart gebaute Sohn nicht kräftig genug ist um als Bauer sein tägliches Brot zu verdienen. Deshalb bestimmen si~ ihn für ein Handwerk. Zuvor schicken sie Jakob in die Dorfschule nach Seidenberg. Ehe sie ihn zu einem Schuhmacher in die Lehre geben kön~ nen, hat der Junge hin und wieder Vieh zu hüten. «Bei welchem seine~ Hirtenstande ihm dies begegnet, daß er einstmals um die Mittagsstunde sich von den andern Knaben abgesondert und auf den davon nicht wei~ abgelegenen Berg, die Landeskrone genannt, allein für sich selbst gestie~ gen, allda zuoberst (welchen Ort er mir selber gezeiget und dies erzäh~ let), wo es mit großen roten Steinen, fast einem Türgerichte gleich, ver~ wachsen und beschlossen, einen offenen Eingang gefunden, in welchem er aus Einfalt gegangen und darinnen eine große Bütte mit Gelde ange~ troffen, worüber ihm ein Grausen angekommen, darum er auch nichts davon genommen, sondern also ledig und eilfertig wieder herausgegan~ gen. Ob er nun wohl nachmals mit andern Hütejungen zum öfteren wie~ der hinaufgestiegen, hat er doch solchen Eingang nie mehr offen ge~ sehen ...»[8]

Man mag darüber streiten, inwieweit diese Mitteilung Franckenbergs auf einer historischen Tatsache beruht. Eine «Vorbedeutung auf seiner geistlichen Eingang in die verborgene Schatzkammer der göttlichen und natürlichen Weisheit» hat bereits Franckenberg erblickt. Aussagekräftig

Schuhmacher-Werkstatt
Holzschnitt von Jost Amman, 1568. Verse von Hans Sachs

Der Schuhmacher.

Hereyn/wer Stiffl vnd Schuh bedarff/
Die kan ich machen gut vnd scharff/
Büchsn / Armbrosthalffter vñ Wahtseck/
Feuwr Eymer vnd Reyßtruhen Deck/
Gewachtelt Reitstieffl / Kürißschuch/
Pantoffel / gefütert mit Thuch/
Wasserstiffl vnd Schuch außgeschnittn/
Frauwenschuch / nach Höflichen sittn.

ist die Episode immerhin, wenn man diesen Bericht wie ein Bild auf sich wirken läßt. Das Motiv der Höhle, die geheimnisvolle «Bütte», die keineswegs die Begehrlichkeit des Knaben weckt, sondern eher «Grausen» erzeugt, lassen an einen Vergleich mit einem Initiationserlebnis denken, bei dem der Blick des Menschen für Realitäten höherer Ordnung eröffnet wird. Dies schließt nicht aus, daß ein lokales Sagengut mit verwandten Bildinhalten hereinspielt. Daß solche Erlebnisse auch heute noch vorkommen, bestätigt der Tiefenpsychologe C. G. Jung, dem in der Kindheit Ähnliches in Gestalt eines eindrucksvollen Traumes widerfahren ist. «Eine Initiation in das Reich des Dunkeln», hat es Jung genannt.[9] Bei Böhme müßte man wohl sagen: Initiation in das Reich der Tiefe. Vor dieser Tiefe des Kosmos und der Tiefe Gottes legt Böhme bereits in seinem Erstlingswerk immer wieder Zeugnis ab: *Seine Tiefe kann keine Kreatur ermessen.*[10]

Eine andere außerordentliche Begebenheit, die sich noch während der Schusterlehre zugetragen haben soll, hat Abraham von Franckenberg ebenfalls festgehalten: «Denn wie mir der selige Mann selber erzählet hat sichs einstmals bei seinen Lehrjahren zugetragen, daß ein fremder, zwar schlecht bekleideter, doch feiner und ehrbarer Mann vor den Laden kommen, welcher ein Paar Schuh für sich zum Kauf begehret. Weil aber weder Meister noch Meisterin zu Hause, hat J. B. als ein Lehrjunge selbige zu verkaufen sich nicht erkühnen wollen, bis der Mann mit Ernst darauf gedrungen. Und als er ihm die Schuh (der Meinung, Käufern abzuschrecken) ziemlich hoch und über rechte Billigkeit geboten, hat ihm der Mann dasselbe Geld alsobald und ohne einige Widerrede dafür gegeben, die Schuh genommen, fortgegangen, und als er ein wenig von dem Laden abgekommen, stille gestanden und mit lauter und ernster Stimme gerufen: Jacob, komme heraus! Worüber er in sich selbst erschrocken, daß ihn dieser unbekannte Mann mit eigenem Taufnamen genennet, und sich doch erholet, aufgestanden, zu ihme auf die Gasse gegangen. Da ihn der Mann eines ernst-freundlichen Ansehens mit lichtfunkelnden Augen bei der rechten Hand gefasset, ihm strack und stark in die Augen gesehen und gesprochen: Jacob, du bist klein, aber du wirst groß und gar ein anderer Mensch und Mann werden, daß sich die Welt über dir verwundern wird . . .»[11] Von größerem Wert als eine derartige Notiz wäre eine Auskunft über die Wanderschaft des jungen Schuhmachergesellen, um ermessen zu können, welchen Einflüssen der sensible Junge ausgesetzt gewesen sein wird. Offensichtlich hat Franckenberg eine Beantwortung dieser Frage nicht für so wichtig gehalten. Peuckert meint: «Das kränkliche Schuhmacherlein war für die Wanderschaft nicht der rechte Mann. Ihm fehlte der Schmiß, der Schwung, die rechte Courage. Ihn steckte ja jeder Geselle ein. Das Heimweh war groß genug.»[12]

Böhme beschließt, sich in Görlitz niederzulassen. Er sucht die Geborgenheit. Ob einer seiner Mitgesellen oder Meister ahnte, was in ihm vorging, welche Seelenkämpfe und Erschütterungen sich in ihm ankündigten? Böhme läßt sich in die Schuhmacherinnung aufnehmen. Er erwirbt das Görlitzer Bürgerrecht und gründet einen eigenen Hausstand. Die Bürgerurkunde des Vierundzwanzigjährigen ist von Bartholomäus Scultetus am 24. April des Jahres 1599 ausgestellt worden: «Jacob

Schusterjunge Jakob Böhme und der Fremde.
Illustration aus einer holländischen Böhme-Ausgabe (Amsterdam 1686)

Behmer von Alt-Seidenberg, Schuster, hat auf seinen vorgelegten Ge-
burts- und Losbrief sein Bürgerrecht erworben.» Am selben Tag kauft
Böhme die «Schuhbank» auf dem Untermarkt. So weist es das Kaufbuch
der Stadt aus. Die nächste amtliche Eintragung findet sich im Traubuch
unter dem 10. Mai des gleichen Jahres. «Jacob Bohem» habe des Hanns
Kuntzschmanns, eines Metzgers, Tochter Katharina geehelicht und drei
Kreuzer hinterlegt. Am 21. August 1599 vermeldet das Kaufbuch von
Görlitz, der Schuster Böhme habe das Haus des Paul Adam «furm
Neißtore aufm Töpferberge» für 300 Mark gegen Ratenzahlung erworben. Die weiteren Daten der Böhme-Familie schlägt man in den Tauf-
matrikeln nach, in denen zwischen 1600 und 1606 vier Böhme-Söhne
urkundlich erwähnt werden.

Meister Böhme bleibt seiner Schusterinnung nichts schuldig, als es
gilt, deren Interessen gegenüber den Gerbern durchzusetzen. Seine Hal-

tung als Ehemann und Familienvater wird gerühmt. Aber da ist ihm längst widerfahren, was fortan sein Leben bestimmt: die große Schau. Zu der Zeit, als ihm der erste Sohn, Jakob, geboren wird, muß es sich ereignet haben. Abraham von Franckenberg berichtet: «Unterdessen und nachdem er sich als ein getreuer Arbeiter seiner eigenen Hand im Schweiß seines Angesichts genähret, wird er mit des 17. Saeculi Anfang, nämlich anno 1600, als im 25. Jahr seines Alters, zum andern Mal vom göttlichen Lichte ergriffen und mit seinem gestirnten Seelengeiste durch einen gählichen Anblick eines zinnern Gefäßes (als des lieblich jovialischen Scheins) zu dem innersten Grunde oder centro der geheimen Natur eingeführt. Da er als in etwas zweifelhaft um solche vermeintliche Phantasie aus dem Gemüte zu schlagen zu Görlitz vor dem Neißtore (alwo er an der Brücken seine Wohnung gehabt) ins Grüne gegangen, und doch nichts destoweniger solchen empfangenen Anblick je länger je mehr und klarer empfunden, also daß er vermittels der angebildeten Signaturen gleichsam in das Herz und die innerste Natur hineinsehen können ... wodurch er mit großen Freuden überschüttet, stille geschwiegen, Gott gelobt, seiner Hausgeschäfte und Kinderzucht wahrgenommen und mit jedermann fried- und freundlich umgegangen und von solchem seinem empfangenen Lichte und inneren Wandel mit Gott und der Natur wenig oder nichts gegen jemanden gedacht.»[13]

Dies wird aus dieser Mitteilung des späteren Schülers deutlich: So überraschend und lebenwendend dieser Einblick in «die innerste Natur» war, er vollzog sich in seinem Innern. Familie und Beruf wurden nicht beeinträchtigt. Ob er sich an jemanden wenden konnte, um sich über das Vorgefallene auszusprechen? Hier ist an den Görlitzer Pastor primarius Martin Moller zu denken. Als Calvinist und als heimlicher Rosenkreuzer empfing er in seinem Haus einige von jenen Männern, die später Böhmes Partei ergriffen, unter ihnen: Karl Ender von Sercha, den Gelehrten Balthasar Walther, Abraham von Sommerfeld, Johann Siegismund von Schweinichen, ferner die beiden Ärzte Tobias Kober und Johannes Beer.

Franckenberg weiß in seinem Bericht von einer abermaligen Erleuchtung zu berichten, die in das Jahr 1610 gefallen sein soll. Wenig später beschließt der Schustermeister, sich selbst zum *Memorial* das aufzuschreiben, was er als Ertrag seiner geistig-geistlichen Erfahrungen festhalten möchte. Im Laufe von etwa fünf Monaten entsteht zwischen Januar und Pfingsten des Jahres 1612 ein Manuskript mit dem Titel *Morgenröte im Aufgang, das ist die Wurzel oder Mutter der Philosophiae, Astrologiae und Theologiae aus rechtem Grunde, oder Beschreibung der Natur, wie alles gewesen und im Anfang worden ist ...* Das Titelblatt der schönen Ausgabe der *Sämtlichen Schriften* von 1730 trägt die Zeitangabe: «Im Jahr Christi 1612, seines Alters 37 Jahr, Dienstag im Pfingsten.» Daraus ist jedoch nicht etwa das Datum der Buchveröffentlichung zu schließen. Böhmes berühmter Erstling, die *Morgenröte im Aufgang*, von Balthasar Walther «Aurora» genannt, wurde erst lange nach dem Tod des Autors gedruckt. Das Buch wurde indessen auf eine andere Weise verbreitet.

Dem Herrn von Sercha verrät der Schuster, was er in seinen Mußestunden und in der Nacht niedergeschrieben habe. Der läßt sich das Manuskript zeigen, nimmt es mit und läßt es heimlich kopieren. Fortan kursieren Urschrift und mehrere Abschriften im Kreis der späteren Böhme-Freunde. Dem Görlitzer Oberpfarrer bleibt diese Tatsache nicht verborgen. Seit 1606 amtiert an Sankt Peter und Paul jedoch nicht mehr der verständnisvolle Martin Moller, sondern der zwar kundige, jedoch dogmatisch enge Lutheraner Gregor Richter. Als Wächter über die «Rechtgläubigkeit» der Seelen von Görlitz erblickt Richter seine Aufgabe darin, das corpus delicti alsbald – ungelesen – der weltlichen Behörde, das heißt dem Magistrat, zu übergeben. Die Eintragung im Tagebuch von Bürgermeister Scultetus besagt denn auch, daß Jakob Böhme, ein Schuster zwischen den Toren hinter der Spitalschmiede, «zum Ablohnen aufs Rathaus geordert und um seinen enthusiastischen Glauben gefragt, darüber in Stock eingesetzet und sobald durch Oswald [den Stadtdiener] sein geschriebenes Buch in Quarto aus seinem Hause abgeholet, darauf er wieder aus dem Gefängnisse entlassen und ermahnet worden, von solchen Sachen abzustehen».

Über Nacht ist der ehrbare Bürger als gefährlicher «Enthusiast» abgestempelt, gegen den der Stadtrat einschreiten muß. Die öffentliche Verleumdung des Gemeindeglieds Böhme, das Sonntag für Sonntag unter der Kanzel der Stadtkirche sitzt, folgt auf dem Fuß. Am Sonntag, dem 28. Juli 1613, brandmarkt Richter den erschreckten Schuster in einer scharfen Droh- und Strafpredigt. Am Dienstag, dem 30. Juli, beordert der Oberpfarrer sein Gemeindeglied durch den Prädikanten ins Pfarramt. Der bibelfeste Böhme muß ein Glaubensverhör über sich ergehen lassen. Es wird ihm verboten, erneut zur Feder zu greifen. Der Eingeschüchterte, der um Ruf und Existenzgrundlage für seine Familie bangen muß, sagt zu: *Als ich mich aber vorm Ministerio* (Pfarramt) *gegen ihn verantwortet und angezeiget meinen Grund, ist mir vom Herrn Primario auferlegt worden, nicht mehr also zu schreiben, welches ich ja bewilliget; den Weg Gottes aber, was er mit mir hat tun wollen, habe ich dazumal noch nicht verstanden. Hingegen hat mir der Herr Primarius*

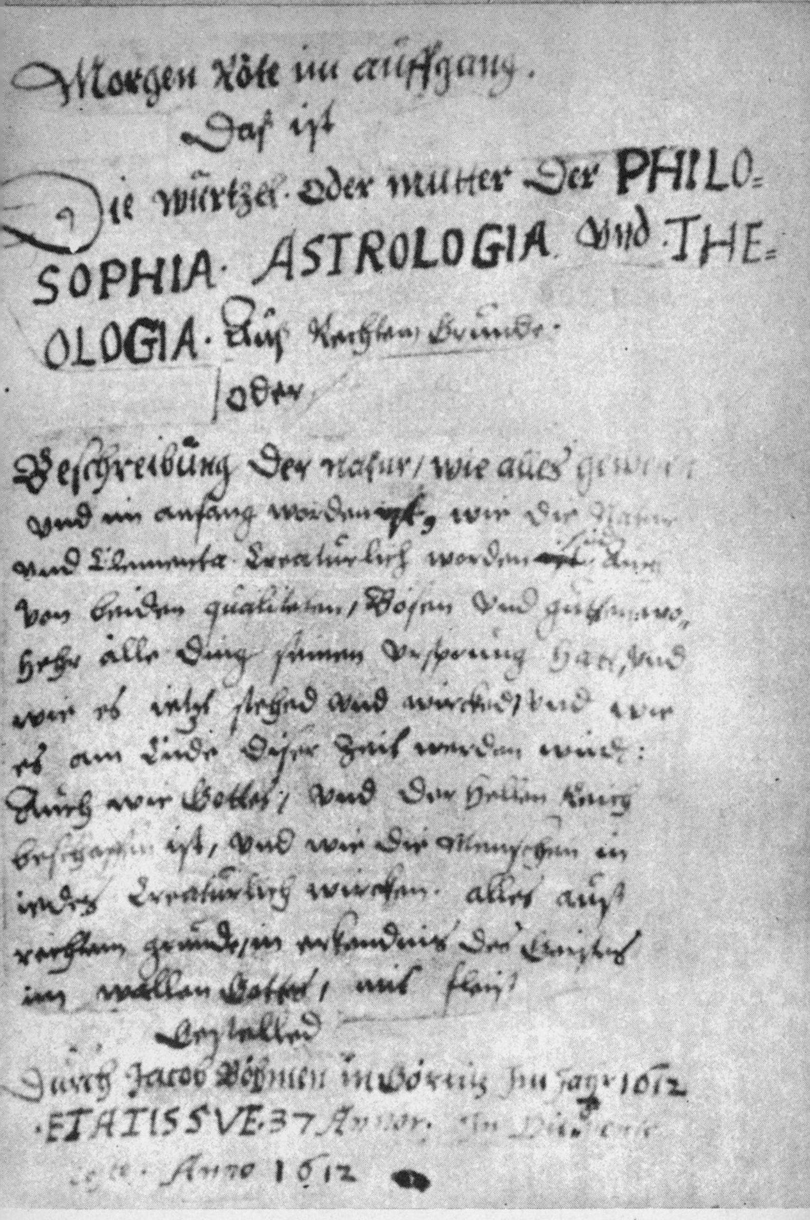

Morgen Röte im auffgang.

Das ist

Die würtzel oder mutter der PHILO-
SOPHIA. ASTROLOGIA. und THE-
OLOGIA. Auß rechtem grunde.

Oder

Beschreibung der natur, wie alles gewesen
und im anfang worden ist, wie die Natur
und Elementa creatürlich worden ist, Auch
von beiden qualiteten, Bösen und guten,
Woher alle Ding seinen Ursprung hat, Und
wie es itzt stehend und würckend, Und wie
es am Ende dieser Zeit werden wird:
Auch wie Gottes, Und der hellen König
beschaffen ist, Und wie die Menschen in
iren Creatürlich wesen. alles auß
rechtem grunde, in erkendnus des Geistes
im trieben Gottes, mit fleis.

Durch Jacob Böhmen in Görlitz Jn Jahr 1612.
ETATIS SVE 37 Annor. Jn Dürffte....
.... Anno 1612

Titelseite der «Morgenröte im Aufgang». Handschrift Jakob Böhmes

Görlitz: die Peterskirche

samt den andern Praedikanten zugesagt, hinfüro auf der Kanzel zu
schweigen . . .[14]

Für Böhme beginnt eine harte Zeit der Prüfung. Daß seine Berufung
nicht im Beruf des Schusters liegt, ist dem Achtunddreißigjährigen längst
klar. Schon bevor Pfarramt und Stadtrat Maßnahmen gegen ihn ergreifen, verkauft er im März 1613 seine Schuhbank. Um für die Erfüllung
seines Sendungsauftrags beweglicher zu sein, beginnt Böhme zusammen
mit seiner geschäftstüchtigen Frau einen Garnhandel. Diese neue Tätig-
keit erfordert Reisen, bei denen er auch Freunde und Gesinnungsgenossen besuchen kann. In den Sendbriefen spricht Böhme gelegentlich von

Das Alte Rathaus, vom unteren Markt aus gesehen

der Notwendigkeit des *geheimen Gesprächs.* Eine Prüfung stellen die Jahre 1613 bis 1620 insofern dar, als Böhmes Widersacher sich nicht an die getroffene Übereinkunft hält, *sondern hat mich die ganze Zeit schmählich gelästert und mir öfters Dinge zugemessen, derer ich gar nicht schuldig bin und also die ganze Stadt lästernd und irre gemacht, daß ich samt meinem Weibe und Kindern habe müssen ein Schauspiel, Eule und Narr unter ihnen sein. Ich habe ferner all mein Schreiben und Reden von solcher Hoheit und Erkenntnis göttlicher Dinge auf sein Verbot viel Jahr bleiben lassen und gehoffet, es werde des Schmähens einmal ein Ende sein, welches aber nicht geschehen, sondern immerdar* ärger worden ist. *Bei diesem hat es der Herr Primarius nicht bleiben lassen, sondern hat mein Buch und Verantwortung in fremde Örter Städte und Dörfer weggeliehen und dasselbe selber ausgesprenget ganz ohne mein Wissen und Willen, da es dann ist nachgeschrieben und viel mit andern Augen angesehen worden als er es angesehen.*[15]

Zur äußeren Anfechtung tritt die innere hinzu. Sein Buch wird ihm nie mehr ausgehändigt. Bis zum Jahre 1641 bleibt es in Verwahrung. Auch vergehen Jahre, bis dem Autor Abschriften zu Gesicht kommen. Freunde, bis dahin unbekannte Leser der kursierenden Kopien, ermahnen ihn, trotz des Verbotes sein *Talent zu offenbaren.* Sie ahnen nicht, daß dem Autor *auch zugleich das Gnadenlicht eine ziemliche Zeit entzogen ward und glamm in mir als ein verborgen Feuer, daß also nichts denn Angst in mir war, von außen Spott, von innen ein feuriger Trieb*[16]. Jahrelang ist er nicht in der Lage, das, was ihn erfüllt und bewegt, schöpferisch zu gestalten oder mitzuteilen. Er gibt sich *ganz geduldig unter das Kreuze,* fragt sich aber, ob er für immer verstummen müsse. Wie ihm in diesen Jahren zumute ist, zeigt eine Briefstelle aus dem Jahre 1620: *Hatte mich auch nach der Verfolgung verwogen, nichts mehr zu machen, sondern als ein Gehorsamer Gott stille zu halten und den Teufeln lassen mit seinem Spotte also über mich hinrauschen, in dem dann so gar mancher Sturm gegen ihn ist ergangen, und was ich gelitten, nicht wohl sagen kann . . . Mein äußerer Mensch wollte nicht mehr aufschreiben.*[17] Es ist anzunehmen, daß die Überwindung dieser Krise durch sein lutherisches Verständnis vom Untertansein unter die gottverordnete Obrigkeit noch erschwert wurde. Dazu plagen ihn die Skrupel des Autodidakten und des Mannes aus geringem Stande: *Sintemal der Autor ein ungelehrter und wenig verständiger Mann war, dazu fast wie kindisch in den Geheimnissen gegen den Erfahrnen und Gelehrten . . .*[18]

Doch es gelingt ihm der Durchbruch. *Es ging mit mir gleich als wenn ein Korn in die Erde gesäet wird, so wächst das hervor in allem Sturm und Ungewitter, wider alle Vernunft . . . So ward der innere Mensch gewappnet und kriegte gar einen teuren Führer, dem habe ich meine Vernunft ganz heimgestellt, auch nichts gesonnen oder der Vernunft zugelassen, was ich doch schreiben wollte, ohne das, daß mir es der Geist gleich als in einer großen Tiefe im Mysterio auf einen Haufen immer zeigete, aber ohne meinen genugsamen Begriff.*

Damit ist ein neuer Anfang gekennzeichnet. Die Vernunft, die bei Böhme eine Funktion des äußeren Menschen darstellt, wird völlig der geistigen Führung überantwortet. Im Sinne der Tiefenpsychologie C. G. Jungs könnte man sagen: Böhme begibt sich in die «Selbstverwirklichung des Unbewußten (hinein). Alles, was im Unbewußten liegt, will Ereignis werden, und auch die Persönlichkeit will sich aus ihren unbewußten Bedingungen entfalten und sich als Ganzheit erleben.»[19] Freilich, Böhme geht es um mehr als um den Mythos seines Lebens, um mehr als um den Aufweis dessen, was sich auf dem Spiegel seiner Seele zeigt. Er weiß Bilder der Seele und die ihnen zugrunde liegenden Realitäten der geistigen Welt zu unterscheiden. Diese Gewißheit begründet das starke Sendungsbewußtsein des äußerlich unscheinbaren Mannes.

Aus eben dieser Gewißheit heraus schöpft er die Kraft, innerhalb weniger Jahre ein vielbändiges Werk zu schaffen.

Die bescheidenen Verhältnisse, in denen er lebte, hat er nie vergessen. Immer wieder kommt er darauf zu sprechen, so zum Beispiel im Brief vom 10. Dezember 1622 an einen Unbekannten: *Wiewohl ich ein einfältiger Mann bin und der hohen Kunst und des Studii unerfahren, ist auch niemals meine Übung gewesen, mich in hoher Meisterschaft zu üben und große Geheimnisse in meiner Vernunft zu fassen. Sondern meine Übung ist äußerlich ein gemein Handwerk gewesen, damit ich mich lange Zeit ehrlich ernähret; daneben ist meine innerliche Übung mit fast* (d. h. sehr) *strenger Begierde in das Streben meines angeerbten Menschen gegangen* ... Am Schluß dieses Briefes fügt Böhme hinzu: *Habe auch mein Handwerk um deswillen liegen lassen, Gott und meinen Brüdern in diesem Berufe zu dienen und meinen Lohn in dem Himmel zu empfangen, ob ich gleich von Babel und dem Antichrist muß Undank haben.*[20]

Hält man sich vor Augen, daß das literarische Werk Böhmes, abgesehen von der *Morgenröte*, in der Ausgabe von 1730 acht stattliche Textbände füllt, die allein in den letzten sechs Jahren seines Lebens geschrieben worden sind, dann fragt man sich, wovon Böhme gelebt und seine Familie ernährt hat. Der Garnhandel allein dürfte schwerlich genug eingebracht haben. Die üblichen Buchhonorare entfielen, weil Böhmes Bücher – mit einer einzigen Ausnahme – nur handschriftliche Verbreitung fanden. So war der Autor darauf angewiesen, von den Bestellern der Abschriften unterstützt zu werden.

Mehr als eine Versorgung mit dem Lebensnotwendigsten hätte Böhme offensichtlich nicht geduldet. Wie das vor sich ging, ist einigen Briefen zu entnehmen, etwa wenn er Karl von Ender schreibt: *Es bittet mein Weib, woferne der Junker noch etwas an Käsen zu verkaufen hätte, ihr doch etwa drei Schock oder was vorhanden ums Geld zu lassen. Auch wäre mir wohl lieb, wenn mir der Junker wollte einen Sack Rüben ums Geld lassen zukommen* ... *So bin ich zunähest bei einem Stücke Rüben des Junkers vorbeigegangen, welche Gott wohl gesegnet hatte, davon ich dem Junkern eine abborgte, welche mich deuchte sehr gut sein.* In welcher Situation sich Böhme im vierten Jahr nach Ausbruch des Dreißigjährigen Krieges befindet, läßt er durchblicken, wenn er fortfährt: *Und tät mir der Junker einen Dienst, so er mir wollte einen Sack ums Geld lassen, dabei ich mein Talent könnte bauen, weil die Zeit den Armen fast sehr bekümmert ist und ich jetzt fast alle meine Zeit in Diensten meiner Brüder zubringe, welchen ich auch herzlich gerne mitteile, was in meinem Gärtlein wächset und meine Perle jetzt in großem Fleiße suche, meinen Brüdern damit zu dienen.*[21]

Der Junker, bekannt als erster «Publizist» der *Morgenröte*, dürfte Böhmes bescheidenes Bitten verstanden haben. Auch Augustin Köppe gegenüber, dem fürstenauerischen Gutsverwalter von Lissa (nördlich von Görlitz), bringt Böhme zum Ausdruck, daß Christus selbst sein eigentlicher *reicher Lohn* sei und er deshalb *in keinem Wege etwas Zeitliches* für seine Arbeit *in Christi Weinberge* erwarte. *Weil ihr mir aber aus christlicher Liebe und Treue auch wollet gerne helfen zu meines Leibes*

Unterhaltung und Notdurft bei diesen meinem Talent dienen, so erkenne ich solches als eine Schickung göttlicher Ordnung und bedanke mich zum höchsten eures treuen Gemütes und Verehrung.[22]

Über die Zeit der Krise und des Schweigens wissen wir nicht viel. Für Böhme dürfte aber gerade in dieser Zeit der Gedankenaustausch mit dem jungen Görlitzer Arzt Tobias Kober wichtig geworden sein. Er kannte sich in paracelsischen, alchimistischen und mystischen Schriften aus. Der weitgereiste Dr. Balthasar Walther aus Glogau, der als Kenner der geheimen Wissenschaften der Schau Böhmes großes Interesse entgegenbrachte, indem er ihn befragte, ermunterte ihn zu fruchtbarer Weiterarbeit. Noch bevor die neue Schaffensperiode anfing, machte Walther den Autor mit Christian Bernhard aus Sagan bekannt, der das Abschreiben übernahm. Etwa um diese Zeit war eine Abschrift der *Morgenröte* wiederaufgetaucht. *Sahe auch dasselbe erste Buch in drei Jahren nicht mehr, vermeinete, es wäre längst tot und dahin, bis mir Abschriften von gelehrten Leuten zugeschicket wurden, mich vermahnten, mein Talent zu offenbaren, welches die äußere Vernunft nirgends tun wollte, dieweil sie vorhin also viel hatte müssen erleiden.*[23]

Unterdessen bricht der große Krieg aus. Böhme, der viel unterwegs ist, zunächst noch in geschäftlichen Angelegenheiten, dann um vornehmlich Gesinnungsfreunde zu treffen, ist Augenzeuge, als Friedrich V. von der Pfalz, der neue Böhmenkönig, in Prag Einzug hält: *Er ist hinten zum Schlosse aufm Retschin vom Schlan hineinkommen und mit großer Zierde aller drei Stände angenommen worden, wie vormal auch bei allen Königen bräuchlich gewesen.*[24] Böhme, für den die äußere Geschichte den Schattenwurf eines geistigen Ereignisses darstellt, weist mahnend auf biblische Bezüge hin: *Ich erinnere euch, daß ihr wollet acht haben, was der Prophet Ezechiel 38. und 39. Kapitel hat geschrieben, ob nicht die Zeit des großen Zuges wird da sein . . . Da dann die große Niederlage der Kinder in Babel geschehen mag, da zwei große Ruten von Gott erscheinen werden, eine durch Krieg, die andere durch Sterben, indem Babel soll zerbrochen werden . . .* Ein Jahr später kommt es zur Schlacht

Friedrich V., Kurfürst von der Pfalz, mit seiner Gattin in Böhmen.
Stich nach einem Gemälde von Adrian van der Venne

Gefecht. Kupferstich aus dem «Theatrum Europaeum». Ende des 17. Jahrhunderts

Die Altstadt an der Neiße in Görlitz

am Weißen Berg (1620). Friedrichs Truppen werden in die Flucht ge-
schlagen. Der «Winterkönig» entweicht nach Schlesien. Einige Sendbriefe spiegeln die Tagesereignisse wider, die Böhme seherisch deutet.
*Großer Krieg, Aufruhr und Empörung, auch Sterbensnot fället in kur-
zem mit Macht ein,* weissagt er einmal. Und im Brief vom 17. Oktober
1621 an Gottfried Freudenhammer: *Ich füge dem Herrn wohlmeinend
zu wissen, daß die jetzige Zeit wohl in acht zu nehmen ist, dann der
siebte Engel in der Apocalypse hat seine Posaune gerichtet. Es stehen
des Himmels Kräfte in sonderlicher Bewegung, dazu beide Türen offen,
in großer Begierde, Licht und Finsternis. Wie ein jedes wird ergriffen
werden, also wird es eingehen. Wessen sich einer hoch wird erfreuen,
das wird der andere verspotten. Darauf ergehet das schwere und strenge
Gerichte über Babel.*[25]

Etwa zur selben Zeit, da Krieg und Teuerung das Land heimsuchen,
steht Böhmes Entschluß fest, sein Schweigen zu brechen und sich fortan
ganz in den Dienst seiner Sendung zu stellen. Als äußere Ereignisse
sind vor allem eine mehrwöchige schwere Krankheit und jener «Schrack»
zu erwähnen, der dem von Natur aus ängstlichen Schuster in die Glieder
fuhr, als er aus unmittelbarer Nähe den Einsturz der Neißebrücke mit-
erlebte. *Denn wir können jetzt nicht in die Stadt (Görlitz) wegen ein-
gefallener Brücke mit einem ganzen Joche mitten auf der Brücke, von
oben bis in den Grund, welches in einem Blitz und Hui geschah als
schösse man ein Rohr ab, welches, weil ich selber auf der Brücken gestanden, ich selber gesehen und Gottes große Macht fast übernatürlich
gespüret habe . . . Denn ein solches als ich gesehen, mich arg bestürzet
hat, denn ich war über drei Ellen nicht vom Anbruch im (Brücken-)*

Fenster liegend, ins Wasser zu sehen, lief aber im Schracke davon, sahe es nur in einem Blicke an; und ehe ich mich umsah, war alles in Grund augenblicklich.[26]

Als er 1619, wenn nicht schon ein Jahr vorher, abermals zur Feder greift, beginnt für Böhme ein «mächtiger Aufgesang neuen Schaffens» (H. Grunsky). Im Mittelpunkt stehen zunächst die Vorstellungen von den *drei Prinzipien,* die er im gleichnamigen Werk erklärt. Diese *Beschreibung der drei Prinzipien göttlichen Wesens* (1619) handelt *von der ohn Ursprung ewigen Geburt der heiligen Dreifaltigkeit Gottes; und wie durch und aus derselben sind geschaffen worden die Engel; sowohl die Himmel, auch die Sterne und Elementa samt allem kreatürlichen Wesen und alles, was da lebet und schwebet; fürnehmlich von dem Menschen, woraus er geschaffen worden und zu welchem Ende; und dann, wie er aus seiner ersten paradiesischen Herrlichkeit gefallen in die zornige Grimmigkeit und in seinem ersten Anfange zum Tode erstorben, und wie dem wieder geholfen worden; und dann auch, was der Zorn Gottes (Sünde, Tod, Teufel und Hölle) sei; wie derselbe in ewiger Ruhe und in großer Freude gestanden, auch wie alles in dieser Zeit seinen Anfang genommen und wie es sich jetzt treibet und endlich wieder werden wird.* So lautet der Text des Titelblattes von Böhmes zweitem Buch. Damit ist zugleich die Thematik angegeben, die ihn bis zu seinem Lebensende beschäftigen sollte: Ursprung und Zielpunkt von Gottheit, Kosmos und Menschheit.

Mit großer Konzentration, nur von Gesprächen und einem regen Briefwechsel, auch gelegentlichen Disputationen unterbrochen, schreibt er Buch um Buch. Im Winter 1619 auf 1620 entsteht *Hoch und tiefe Gründung von dem Dreifachen Leben des Menschen (De triplici vita hominis).* Auf eine Anregung von Balthasar Walther gehen die *Vierzig Fragen von der Seelen (Psychologia vera)* zurück, die im Frühjahr 1620 vorliegen. Mit dem Stoff hat sich Böhme schon um 1618 und 1619 beschäftigt. In diese Hauptschaffenszeit des Jahres 1620 fallen ferner die beiden Hauptwerke *Von der Menschwerdung Jesu Christi* und die sogenannten *Sechs theosophischen Punkte (Sex puncta theosophica).* Als Hauptwerke gelten schließlich die schwierige *De signatura rerum. Von der Geburt und Bezeichnung aller Wesen,* die im Februar 1622 zum Abschluß kommt, die Anfang 1623 geschriebene *Von der Gnadenwahl (De electione gratiae)* und der knapp 900 Druckseiten umfassende Genesis-Kommentar *Mysterium Magnum,* der im September 1623 im Manuskript vorliegt. Weitere elf kleinere theoretische bzw. theologische Traktate, elf praktische bzw. erbauliche Schreiben sowie acht polemisch-apologetische Schriften vervollständigen das Gesamtwerk. Diese zuletzt genannten Veröffentlichungen geben einen Einblick in das geistige Ringen, das durch die Kritik und die offene Polemik seiner Kontrahenten an Spannung und Schärfe zugenommen hat. Zur Auseinandersetzung sieht sich Böhme veranlaßt, als er durch Abraham von Sommerfeld 1621 erfährt, ein schlesischer Adeliger namens Balthasar Tilke (oder Tölke) habe einen *giftigen Pasquill* gegen Böhmes *Morgenröte* verfaßt. Als die beiden Sektierer Esaias Stiefel und dessen Neffe Ezechiel Meth eine ma-

33

terialistisch mißverstandene Wiedergeburtslehre verbreiten, ist der Görlitzer genötigt, sich von derlei Anschauungen zu distanzieren.

Zwischen 1621 und 1624 geht Böhme sechsmal auf Reisen durch Schlesien. Die *Theosophischen Sendbriefe* nehmen mehrmals Bezug auf beabsichtigte und gehabte Begegnungen. Breslau, Striegau, Glogau, Bunzlau, Liegnitz stehen auf der Reiseroute. Die Herren von Sommerfeld auf Wartha, von Gersdorf auf Weichau und Ender in Leopoldshain, nicht zuletzt der von Schweinichen auf Schweinhaus werden oftmals in diesem Zusammenhang genannt. Bei Johann Theodor von Tschesch, wo 1622 eine der wenig glücklichen Disputationen stattfindet – Böhme ist offensichtlich kein Mann der öffentlichen Rede –, begegnet er Abraham von Franckenberg, seinem ersten Biographen. Was in den einzelnen Zusammenkünften besprochen worden ist, vermögen wir hie und da zu ahnen. Im Brennpunkt steht die Frage nach der großen Reformation, die anders, umfassender als die Luthers eine grundlegende Wandlung des Menschen und der ganzen Welt zum Ziele hat. Böhme scheint seine Aufgabe zum großen Teil darin gesehen zu haben, einen Kreis von Menschen für die spirituelle Realität dieser Reformation vorzubereiten. Das war letztlich nicht durch Schriften, sondern durch eine intime Seelenführung möglich. Joachim Morsius, dem Rosenkreuzer aus Lübeck, gegenüber macht er Andeutungen: *Aber ich sage euch, mein lieber Herr, daß ihr bisher nur einen Glanz in meinen Schriften von solchen Geheimnissen gesehen habt, denn man kann's nicht schreiben.* Der Mensch muß vielmehr in die *rechte theosophische Pfingstschule, da die Seele von Gott gelehret wird,* genommen werden.[27] Der Prozeß, der im einzelnen anzufangen hat und der sich in der Welt manifestieren soll, verträgt keinen Aufschub. *Es gaffe niemand mehr nach der Zeit. Sie ist schon geboren. Wens trifft, den trifft's; wer da wachet, der siehets, und der da schläft, der siehts nicht. Sie ist erschienen die Zeit und wird bald erscheinen; wer da wachet, der sieht sie ... Wisset, daß euch mitternächtigen Ländern eine Lilie blühet!*[28] Damit ist das Siegelwort ausgesprochen, das die Wissenden verband.

Wissende, nicht die Geblendeten eines zeitbedingten Aberglaubens, mühen sich mit Böhme um die Bereitung des «Lapis Philosophorum», des alchimistischen Steins der Weisen. Zwar lehnt er es bereits in der *Morgenröte* ab, mit einem praktizierenden Alchimisten verwechselt zu werden: *Du darfst mich darum für keinen Alchymisten halten, denn ich schreibe allein in Erkenntnis des Geistes und nicht durch Erfahrenheit.*[29] Dennoch läßt er durchblicken, mit welchem Interesse er die Arbeit am Stein verfolgt. *Aber das Silber und Gold in der toten Begreiflichkeit ist nur ein finsterer Stein gegen die Wurzel der himmlischen Gebärung.*[30] Dies hat Böhme nicht abgehalten, unter Beobachtung der zu übenden Arkandisziplin gelegentlich dennoch Aufschlüsse über die Bereitung des Steins der Weisen zu geben.[31]

Eine von denen, die nicht nur als Wissende Böhmes Lehre aufgenommen haben, sondern eine innere Umkehr und Sinneswandlung (Bekehrung) erlebten, ist Johann Siegismund von Schweinichen. In der Böhme-Biographie spielt er eine ähnliche Rolle wie Karl von Ender, der die *Morgenröte* publik machte. Schweinichen entschließt sich Ende 1623,

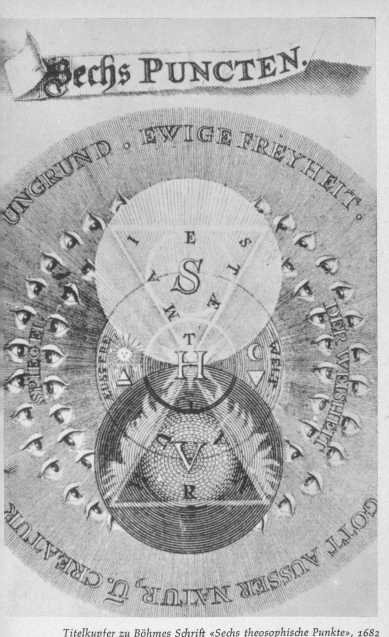

Titelkupfer zu Böhmes Schrift «Sechs theosophische Punkte», 1682

WRATISLAUIA.

drei kleine, jedoch für den seelischen Wandlungsprozeß wichtige Schriften in Buchform herauszubringen, ein Vorhaben, zu dem sich Böhme selbst nie entscheiden konnte. Diesmal geschieht die Veröffentlichung mit Wissen und Billigung des Autors. Schweinichen sieht sich verpflichtet, auf diese Weise seinem geistlichen Führer den gebührenden Dank abzustatten. Aber wie wird die Reaktion in der Öffentlichkeit sein?

Anfang 1624 erscheint bei dem Görlitzer Drucker Johann Rhamba Böhmes *Der Weg zu Christo*. Konnte nach dem Schweigegebot von 1613 bis dahin der Eindruck bestehen, Böhme habe sich an die Vereinbarung gehalten, so war die Lage mit der Drucklegung in Görlitz nunmehr verändert. Unter dem Siegel der Verschwiegenheit konnten bis zu diesem Zeitpunkt alle bis Ende 1623 verfaßten Schriften kopiert und verbreitet werden. Die Herausgabe von *Der Weg zu Christo* empfand Oberpfarrer Gregor Richter als eine Herausforderung, auf die er in der ihm eigenen Unsachlichkeit reagierte. «Maßlos, unflätig, grob ergoß sich die Wut des Oberpfarrers über den Schuster und seinen ‹Irrtum›. Görlitz war toll und voll von der Schmähung; der Pöbel jubelte Richter zu», kommentiert Peuckert. Das Buch enthalte so viele Gotteslästerungen, so viele Zeilen es hat. Es stinke nach Pech und Schusterschwärze. Und mit dem Pathos des Inquisitors fügt Richter hinzu: Schwere Strafen treffen die Orte, an denen derartige Gotteslästerungen ungestraft erdacht, geschrieben und geglaubt werden. Damit ist von amtlicher Seite

36

deutlich gemacht, in welcher Gefahr das Kirchenvolk von Görlitz durch Böhmes Ketzerei schwebe. Der Schuster habe dem Vatergott die Ewigkeit streitig gemacht und lehre die Vierfaltigkeit an Stelle der heiligen Trinität. Der «rechtgläubige» Seelsorger scheut sich nicht, den ehrbaren Handwerker von der Kanzel herab einen Halunken zu nennen. Auch gelingt es ihm, sein Gemeindeglied in der weiteren Umgebung zu diffamieren.

Böhme, der zu diesem Zeitpunkt auf einer Reise unterwegs ist, hört mit Betroffenheit und Zorn von der Hetze. Zuversichtlich schreibt er am 5. März an Martin Moser in Goldberg, daß die vom *allergrößten Teufel diktierte* Schmähschrift Richters auch eine positive Wirkung habe und *daß es jetzt fast jedermann, Adel und Gelehrte, auch einfältige Leute begehren zu lesen und sehr lieb haben; welches Büchlein in kurzer Zeit ist fast durch ganz Europa erschollen und kommen und sehr geliebt wird*[32]. Am kurfürstlich-sächsischen Hofe interessiere man sich für Böhme, und er habe bereits eine Einladung *im Ausgange der Leipziger Messe* angenommen. *Wer weiß, was allda möchte geschehen, ob nicht dem unverschämten Lästerer möchte das Maul zugestopfet und die Wahrheit gepflanzet werden.* Am 26. März wird der nach Hause Gekehrte vor die Versammlung des Stadtrats geladen. Es kommt zu keiner klaren Entscheidung, sei es, daß der Magistrat zwar die Verleumdungen des Oberpfarrers nicht billigen, andererseits ihm auch nicht offen entgegentreten kann, sei es, daß der Versuch gemacht werden soll, Böhme

Alchimist im Laboratorium. Stich, 17. Jahrhundert

zum Verlassen der Stadt zu bewegen. Jedenfalls zeigt die Verhandlung,
daß der Angegriffene im Rat Fürsprecher hat. Es verwundert allerdings,
daß der im Reden wenig bewanderte Schuster vor dem Magistrat keine
Schützenhilfe von Freundesseite bekommt. Gerade zu diesem Zeitpunkt
hätte er einen Beistand bitter nötig gehabt, zumal Böhme nicht der
Mann ist, der auf einen groben Klotz einen groben Keil setzen kann.
Zum anderen ist die im Jahre 1624 verhandelte Sache längst nicht mehr
seine eigene allein, die ins Kreuzfeuer der öffentlichen Kritik geraten ist.
Auf dem Spiel steht keinesfalls nur die religiöse Privatüberzeugung
eines kleinen Handwerkers. Es geht vielmehr um die grundsätzliche Frage
nach der Religions- und Geistesfreiheit, die ihm sein eigener Gemeinde-
pfarrer streitig macht.

Am 6. April berichtet Böhme im Brief an Schweinichen: *Anjetzo füge ich euch zu wissen, daß der Satan so sehr über uns erzürnet ist, als hätten wir ihm die ganze Hölle zerstöret, und da es doch nur in etlichen wenigen Menschen angefangen ist, ihm sein Raubschloß zu stürmen. Weil wir ihm aber nicht die Herberge wollen weiter selbst gönnen, so ist er so rasend auf uns geworden, daß er uns gedenket von dieser Welt zu vertilgen ...* Aus dem Brief erfahren wir, wie der Angriff des Oberpfarrers, den Böhme von nun an den *obersten Pharisäer* nennt, immerhin bewirkt hat, daß auch *die meisten des Rates mein gedrucktes Büchlein gelesen hatten und in demselben nichts Unchristliches befunden, auch von etlichen sehr beliebet ist worden, neben auch vielen von der Bürgerschaft. So haben etliche solches Vorhaben und Begehren des Primarii für unbillig geachtet, es sei keine rechtmäßige Ursache zu solcher Verfolgung an mir.*[33]

Die Leser konnten selbst sehen, daß die erbauliche Schrift *Der Weg zu Christo* im Grunde nichts Neues oder Revolutionäres enthält. *Es sei eben der Grund der heiligen Väter, da man mehr dergleichen Büchlein würde finden*, meinen sie. Tatsächlich sind Anklänge an Schriften der mystischen Tradition, etwa an Thomas a Kempis' «Nachfolge Christi», unverkennbar.

Jene Ratsmitglieder, die Gregor Richter dennoch auf seine Seite zu ziehen vermag, wissen sich nur so zu helfen, daß sie den schutzlosen Schuster einschüchtern und ihm drohen, der Kaiser oder der Kurfürst möchten sich der Sache annehmen, als hätte der Angeklagte von einem unparteiischen Richter etwas zu befürchten. *Sie rieten mir, mich etwas beiseite zu machen, daß sie mit mir nicht etwa Unruhe hätten.* Böhme, der alles andere als ein kluger Taktiker ist, und dem man nicht einmal erlaubt, eine Verteidigungsschrift vorzulegen, gibt klein bei. Er befiehlt sich und die ganze Angelegenheit seinem Gott, nachdem der Rat der Stadt Görlitz nicht in der Lage ist, einen ehrbaren Bürger wie ihn vor dem Wüten eines unflätigen Pfarrers in Schutz zu nehmen. Ehe Böhme dem äußeren Druck weicht – etliche Wochen lang muß er samt seiner Familie den Spott und die Verachtung der aufgewiegelten Menge erdulden –, verfaßt Böhme seine *Schutzrede wider Gregor Richter*. «Diese geistsprudelnde Schrift, schon stilistisch ein Meisterwerk, sucht ihresgleichen in dieser Literaturgattung. Selbst noch im Zittern der Empörung die Überlegenheit bewahrend, weiß sie alle Register der Ironie zu ziehen und bleibt doch in tiefem Ernst stets bei der Sache», urteilt Hans Grunsky.[34] Seinem Verleumder, der sich selbst in der kurz zuvor verbreiteten Schmähschrift die peinlichsten Blößen gegeben hat, bleibt Böhme nichts schuldig. Satz für Satz beantwortet, widerlegt und entkräftet er die giftigen Anschuldigungen des «Pasquills», obwohl er *dem verfluchten Schmähen, Lästern, Kirchen- und Schulgezänke und den ehrsüchtigen Streitschriften von Herzen feind* ist und *diese wider die christliche Liebe und die Wahrheit ausgesäete hochärgerliche Schmähkarten* keiner Antwort würdig erachtet.

Auf die Verächtlichmachung seines Berufs und seiner Bücher antwortet Böhme: *Meinet ihr, daß der Heilige Geist an eure Schulen gebunden sei?*[35] Seinem Kritiker weist er nach, er kenne den Inhalt seiner Schrif-

Görlitz: die Rathaustreppe mit Verkündigungskanzel und Justitia-Säule

ten so wenig, daß er nicht einmal die Buchtitel auseinanderhalten könne. *Ich glaube fast wohl, daß ihr nichts davon verstehet, denn es ist nicht jedermanns Gabe, sondern wem es Gott giebet ... Aber ich wollte euch mein Buch «Morgenröte» an allen Dingen weisen, wenn ihr nicht so ein zorniger, eiferiger Mann wäret, daß man könnte mit euch reden; aber ihr verhindert mit solchem Schmähen nur Gottes Gabe und machet euch selber unwürdig.*[36] Wie groß der Mangel an geistlicher Substanz bei dem Herrn Primario ist, weist Böhme mit dessen eigenen Worten und Verhaltensweisen im Spiegel der Heiligen Schrift nach: *Weiset mir doch in eurem Bann euer christliches Herze; seid ihr Christi Hirte, wo ist eure Liebe ... Wo ist eure Barmherzigkeit und friedfertiges Herz? ... Leset doch die Epistel S. Pauli an Titum und Timotheum, wie ein Bischof sein soll, so werdet ihr finden, daß ihr nicht eines rechten Bischofs Herz habet.*[37] Ebensowenig bleibt Böhme eine Antwort auf die Diffamierung schuldig, er sei ein Ketzer wie Arius, ein Gnostiker wie Cerinth oder gar der Antichrist. *Hiermit will ich niemand an seinem guten Gewissen antasten, aber ich will den Pasquill probieren, ob nicht ein junger Antichrist darinnen hervorgucket.* Und wie der *hervorguckte!* Es möchten einem die Haare vor Grauen und Entsetzen zu Berge stehen, wenn man sieht, wie ein Amtsträger der Kirche unter Mißbrauch seiner Stellung *solches Gift auf das arme unschuldige Volk* von Görlitz und Umgebung ausgießt und während der Passionszeit nichts Besseres zu tun weiß, als ein ehrbares Gemeindeglied zum Halunken, zum Meineidigen, schließlich noch zum verkommenen Säufer ohne den geringsten Grund abzustempeln. Böhme kontert unverblümt: *Was der Herr Primarius dem Schuster zuleget, das ist er selber; man pfleget den Herrn Primarium bisweilen unter dem Tische in Trunkenheit aufzulesen und zu Hause zu führen.*[38] Im übrigen darf er nicht von seinen Bedürfnissen auf andere schließen, die der Belehrung wegen den Schuster zu sich bitten. *Die Edlen und Gewaltigen, welchen mit Vollsaufen gedienet ist, die lassen mich nicht zu sich fordern, sondern nur fromme, gottesfürchtige Herren, denen ihre Seligkeit ein Ernst ist.* Und was die Behauptung anlangt, Böhme spreche dem Branntwein über die Gebühr zu, antwortet er: *Wir Armen haben* (ihn) *nicht zu zahlen. Wir müssen mit einem Trunk Bier (oder Trinken, wie wir das können erzeugen) vorlieb nehmen.*[39]

Trotz all dieser und ähnlicher Anschuldigungen, die Böhme durch Gregor Richter in Wort und Schrift zu hören bekommt, läßt er sich nicht verbittern. Er sieht rückblickend in seinem Verfolger Gottes *Treibhammer*, der dem Werk und den Ergebnissen seines schriftstellerischen Schaffens wider Willen die erforderliche Breitenwirkung verlieh. *Sein Lästern ist meine Stärke und Wachsen gewesen. Durch sein Verfolgen ist mein Perlein gewachsen. Er hat es herausgepresset und auch selber publicieret.*[40] Deshalb sieht Böhme in dem Görlitzer Oberpfarrer geradezu Gottes Werkzeug. Und indem er ihm das gute Gewissen wünscht, das er selbst hat, zeigt der Schuster, daß er seinen Feind überwunden hat.

Einerseits beugt sich Böhme dem Beschluß des Magistrats, andererseits leistet er der Einladung an den Dresdner Hof Folge. Er tut es allerdings schweren Herzens, da er seine Familie, dem Gespött der Menge

preisgegeben, schutzlos zurücklassen muß. Dem Neunundvierzigjähri-
gen ist nur noch ein halbes Lebensjahr zu öffentlicher Wirksamkeit ge-
gönnt. Am 10. Mai 1624 macht er sich auf die Reise. In Zittau trifft er
mit Johann Molinus und Caspar von Fürstenau sowie mit einigen anderen Gesinnungsfreunden zum Gedankenaustausch zusammen. Großes
erwartet er sich von dem Aufenthalt in Dresden, wo er bei dem Hofarzt
und kurfürstlichen «Chymiker» Benedikt Hinckelmann logiert, der ihm
alle christliche Liebe und Freundschaft erboten und mit dem er *täglich in
guter Konversation* zusammen ist. Hinckelmann bringt den Gast aus
Görlitz mit einer Reihe von kurfürstlichen Räten in Verbindung. *Auch
hoffe ich vor ihro churfürstliche Gnaden selber zu kommen, in eigener
Person; und hoffe, es werde alles gut werden*, schreibt er an den Görlitzer
Arzt Tobias Kober, der die Verbindung mit der Familie Böhme aufrecht-
erhält. Aus den Briefen an ihn wissen wir von den Sorgen und Freuden,
den Hoffnungen und Befürchtungen des Schusters. Im zweiten Brief aus
Dresden heißt es: *Bitte, wollet meine Frau und alle guten Brüder in
Christo unserer Liebe grüßen ... und meine Frau trösten, daß sie den
unnützen Kummer fahren lasse, es ist keine Gefahr bei mir und ich
sitze jetzo so gut und besser als zu Görlitz. Sie soll nur zu Hause bleiben
und stille sein und Babel lassen brennen. Unser Feind stehet im Feuer.
Darum ist er so zornig ...*[41] Böhme unterzeichnet mit: *Teutonicus*.

Am Nachmittag des Pfingsttags suchen einige kurfürstliche Offiziere
und Beamte den Schuster in dessen Quartier auf, um sich mit ihm zu
besprechen, *welches auch in Liebe, Gunst und gutem Vernehmen bei
ihnen abgelaufen und mich gar gerne gehöret und meine Sachen ihnen
belieben lassen, mir auch geneigten Willen und Beförderung zugesagt
und sich weiter mit mir zu unterreden erboten*[42]. Wenig später läßt
Joachim von Loß, *Churfürstlicher Geheimer Rat*, den Görlitzer per Kut-
sche nach Schloß Pillnitz bei Dresden bringen. *Welchem Herrn meine
Sachen und Gaben hoch belieben, welcher mir auch geneigten Willen*

und Beförderung versprochen hat, auch angedeutet, daß er wolle meine Person beim Kurfürsten fördern und sehen, daß ich etwa möchte Unterhalt und Ruhe bekommen, mein Talent zu fördern.[43] Böhme hofft einen Richter zu finden, der den Görlitzer Richter richten kann. Der ganze Dresdner Aufenthalt Böhmes steht im Zeichen der Hoffnung und der Erwartung. *Ich warte auf dato stündlich, wenn mich ihro kurfürstlich Durchlaucht wird vor sich fordern lassen, welches ich durch obgenannter seiner Räte Andeutung und Förderung gewärtig bin.*[44]

Was erwartet Böhme eigentlich? Gewiß, er möchte sich endlich in den Stand gesetzt wissen, seine Familie vor den Nachstellungen der Unbelehrbaren zu schützen. Aus Görlitz hört er, daß Anhänger des Oberpfarrers die Fenster seines Hauses eingeworfen und Hausfriedensbruch begangen haben. Auch der Lehrmeister seines Sohnes Elias hat sich aufhetzen lassen, weshalb Böhme den von der Wanderschaft heimgekehrten ältesten Sohn bittet, der Mutter beizustehen und sich vor jeder Unbedachtsamkeit zurückzuhalten, bis er selbst nach dem Rechten sehen könne. Frau Katharina möge *stille sein und Geduld haben und nicht eifern.* Um dieser seiner persönlichen und familiären Sicherung willen aber hat Böhme nie sein *Talent* eingesetzt. Sein Zuwarten und Hoffen ist auf etwas anderes gerichtet: *Ich hoffe noch, es wird bald die Zeit der großen Reformation kommen.* Anzeichen meint Böhme in seiner kindlichen Zuversicht überall zu erblicken. *Er komme nur nach Dresden in Buchladen, er wird die neue Reformation genug sehen, welche meinem Grunde gleich siehet, was den theologischen Grund anbetrifft* [45], heißt es in einem Brief an Tobias Kober.

Von einem Zweifel an den hochgespannten Erwartungen Böhmes hören wir nichts. Die Nachrichten aus Dresden brechen ab. Worin hat der Ertrag dieser Reise für Böhme bestanden? Eine Legende will von einem offiziellen Colloquium wissen. Darüber fehlt es aber an zuverlässigen Nachrichten. Die Reformation, um die es Böhme im Innersten zu

Dresden. Kupferstich von Matthäus Merian d. Ä. (1593–1650)

Schloß Pillnitz bei Dresden. Stich, um 1700

tun war, zielte auf *Wiedergeburt* ab, auf einen Prozeß also, der sich in
den Seelentiefen vollzieht und einen Menschen umzuwandeln vermag.
Dieser Prozeß, den er selbst durchlaufen und durchlitten hatte, war ihm
so sehr Erfahrungstatsache, daß er meinte, der Anbruch der Lilienzeit
stehe unmittelbar bevor und äußere sich auch in augenfälligen Ereignis-
sen. So wurden große Hoffnungen, die Böhme gewiß auch mit seinen
Freunden teilte, enttäuscht.

Bald ist die Lebenszeit des *Teutonicus* abgelaufen. Wir wissen nicht,
wie lange der Dresdner Aufenthalt gedauert hat. Es wird von einer
Erkrankung im August berichtet. Es stirbt Gregor Richter. Noch einmal
reist Böhme zu einigen seiner schlesischen Freunde. Abraham von Franckenberg erwähnt diese letzte Reise: «Als er im Jahre 1624 etliche Wochen über bei uns in Schlesien war und neben anderen erbaulichen Gesprächen von der hochseligen Erkenntnis Gottes und seines Sohnes, sonderlich aus dem Lichte der geheimen und offenbaren Natur zugleich
die drei Tafeln von göttlicher Offenbarung (an Johann Sigmund von
Schweinich und mich A. v. Franckenberg gerichtet) verfertigte, ist er nach
meinem Abreisen mit einem hitzigen Fieber überfallen, wegen zu vielen
Wassertrinkens zerschwollen und endlich seinem Begehren nach also
krank nach Görlitz in sein Haus geführt worden.»[46] Ein letztes Mal
greift Böhme zur Feder, um die *Betrachtung göttlicher Offenbarung*, die
sogenannten 177 theosophischen Fragen (Quaestiones theosophicae) nie-
derzuschreiben. Die Schrift bleibt Fragment. Schwerkrank trifft Böhme
«mit großer Geschwulst und Mattigkeit» am 7. November in Görlitz ein.

Die Diagnose von Tobias Kober, dem Freund und Hausarzt, der die aussichtslose Lage des Patienten sofort erkennt, deutet auf Wassersucht und Kreislaufstörungen hin, verbunden mit einem raschen Kräfteverfall. Kober nimmt sich des Todkranken an, zumal Frau Katharina auf einer Geschäftsreise unterwegs ist und von dem Ergehen ihres Mannes nichts ahnt.

Kober hat die letzten Tage Böhmes unmittelbar nach dessen Tod für die Herren von Schweinichen aufgezeichnet. Durch ihn wissen wir, daß Böhme auf dem Sterbebett noch von seinen orthodoxen «Seelsorgern» gepeinigt wird, als schalte Gregor Richter persönlich. Das letzte Abendmahl wird ihm vom lutherischen Pfarrer erst gereicht, nachdem der Sterbende eine Kette von dogmatischen Fragen beantwortet hat. «Als nun solches im Namen Gottes verrichtet, ist er je länger je schwächer worden, bei seinen Gedanken blieben und sich um Terrestria [Irdisches] weiter nicht viel bekümmert», berichtet Kober. Nach Mitternacht ruft Jakob Böhme seinen Sohn Tobias und fragt, ob er auch die schöne Musik höre, und als der verneint, läßt er die Türen öffnen, damit man den Gesang besser hören könne. Mit dem Wort: *Nun fahre ich hin ins Paradeis!* verabschiedet sich Böhme von seiner Familie und schläft ruhig ein.

Kober, der für die Familie die Beerdigung beim Oberpfarrer Nikolaus Thomas bestellt, holt sich eine Abfuhr, nachdem dieser den Namen des Verstorbenen gehört hat. Die Leichenpredigt solle halten, wer wolle, zum Grabe begleite er die Leiche auch nicht. Kober wendet sich an den Bürgermeister von Görlitz mit einer Eingabe: «Als nun der Bürgermeister solche empfangen, hat er nach Mittage einen ganzen Rat als in einer großen Sache zu judizieren berufen und nach vielen widersinnigen Judiciis aus Approbierung der Juristen: Humanum et pium esse, haereticos honesta spultura affici, d. i., es sei leut- und gottselig, daß man auch die Ketzer ehrlich begrabe.» Die Beerdigung mußte demnach durch den Magistrat von Amts wegen angeordnet werden. Auf dem Rathaus wurde auch der Pfarrer verpflichtet, der die Leichenpredigt halten sollte, nachdem der Primarius sich krank gestellt hatte. Der Prediger leitete seine Ansprache mit den Worten ein, daß er sich dieser Pflicht nur entledige, weil sie ihm vom Rat der Stadt auferlegt worden sei, und daß er die Annahme der dafür üblichen Gebühr ablehne. Nicht einmal den Abkündigungszettel mit dem Bericht vom stillen Sterben Böhmes las er vollends. Das Grabkreuz, das die Freunde wenig später errichteten, besudelte und zerbrach der aufgehetzte Pöbel.

Abraham von Franckenberg bezeichnet als Böhmes Siegel oder Petschaft eine aus dem Himmel gereckte Hand mit einem Zweig von drei aufgeblühten Lilien. «Sein Symbolum oder gewöhnliche Obschrift, sonderlich in den Briefen, waren diese acht Worte: *Unser Heil im Leben Jesu Christi In Uns.*

Bekannt ist das Wort, das Jakob Böhme in die Stammbücher guter Freunde schrieb:

> *Wem Zeit ist wie Ewigkeit*
> *Und Ewigkeit wie die Zeit,*
> *Der ist befreit*
> *Von allem Streit.*

Das Grabkreuz. Aus einer holländischen Böhme-Ausgabe (Amsterdam 1686)

Das symbolgeschmückte Grabkreuz aber trug auf einer ovalen Platte den alten Rosenkreuzer-Spruch:

> Aus Gott geboren
> In JHSVH gestorben
> Mit dem Heiligen Geist versiegelt.

m Anfang der Botschaft des «Philosophus teutonicus» steht keine ehre, sondern ein Erlebnis. Obgleich er sich bereits in seinem Erstlings- erk *Morgenröte im Aufgang* als ein für seine Zeit erstaunlich umfang- ich gebildeter Mann ausweist, legitimierte ihn erst die übersinnliche chau zum Reden und Schreiben. Wir haben bei Jakob Böhme mit einer eistigen Erfahrung zu rechnen, deren Unbeschreibbarkeit dennoch kein erschweigen duldete. Dieser Spannung des Sollens und nicht Könnens atte er standzuhalten. Sie entspricht zugleich dem Seelenzustand, der inem eigentlichen Erleuchtungserlebnis im Jahre 1600 vorausgegangen t. Um welche geistig-seelische Verfassung handelt es sich hierbei? Wie t sie zu beurteilen?

«Keine Rolle fällt der Wissenschaft leichter als die des Famulus Wag- er, der ‹als trockener Schleicher die Fülle der Gesichte stört›. Visionäre erführen den wissenschaftlichen Betrachter von heute zumeist zu einer ein psychopathologischen Deutung und – wenn möglich – Behandlung. Unsere heutige Zeit schützt sich so ängstlich gegen alle Erschütterungen om Transzendenten her, daß sie die zeitgenössischen Träger einer visio- ären Begabung zunächst einmal in die Nervenklinik einliefert, mit dem edlichen Ziel, sie dort von ihren visionären ‹Störungen› zu befreien, nd auch die früheren Träger derartig ‹anormaler› seelischer Fähigkeiten u Psychopathen erklärt und sie so wenigstens noch nachträglich und in ffigie in die Nervenklinik einliefert.»[47]

In dieser Geistvergessenheit des heutigen Menschen, der für krank- aft hält, wofür er selber erblindet ist, wird übersehen, daß es ein Er- eben gibt und immer gegeben hat, «das aus der Seele selber in ihr ächst, ohne Berührung und ohne Hemmung, in nackter Eigenheit. Es vird und vollendet sich jenseits des Getriebes [der Welt], vom Anderen rei, dem Anderen unzugänglich. Es braucht keine Nahrung, und kein Gift kann es erreichen. Die Seele, die in ihm steht, steht in sich selber, at sich selber, erlebt sich selber – schrankenlos. Nicht mehr, weil sie ich ganz an ein Ding der Welt hingegeben, sich ganz auf ihren Grund etaucht ist, Kern und Schale, Sonne und Auge, Zecher und Trank zu- leich.»[48]

Die Griechen haben dies Erlebnis, von dem Martin Buber hier spricht, «Ekstasis» genannt und darunter ein Heraustreten aus dem Alltagsbe- vußtsein verstanden. Die großen, schauenden Denker des Abendlandes vie Platon oder Plotin und die ihnen Geistesverwandten – von den Sehern des Morgenlandes ganz zu schweigen – haben aus dieser Erfah- rung heraus gewirkt. Im übrigen verdient hervorgehoben zu werden, daß Böhme, der Schauende, nicht mit jenen Visionären zu verwechseln st, die ihre übersinnlichen Wahrnehmungen durch ein tranceartig her- abgedämpftes Bewußtsein oder in rauschhaften «High»-Zuständen er- langt haben. Das Tagesbewußtsein war bei ihm nicht getrübt, sondern gesteigert. Das geht bereits aus dem Bericht des Abraham von Francken- berg hervor: Am «lieblich jovialischen Schein» eines Zinngefäßes ent- zündet sich Böhmes Schauen. Um sich selbst der Realität des geistig Wahrgenommenen zu vergewissern, geht er «ins Grüne», wo der Er-

leuchtungszustand anhält. Von krankhafter Neigung oder von einer an
omalen Weltabkehr ist bei Böhme nichts zu merken, wenngleich man ih
dem introvertierten Einstellungstypus im Sinne C. G. Jungs wird zurech
nen müssen, bei dem die intuitive Funktion den Vorrang hatte. – Wa
ihn jahrelang intensiv beschäftigt hat, ehe sich der geistige Durchbruc
anbahnte, waren Erkenntnisprobleme: die Frage nach dem «rechte
Himmel», der, dem äußeren Auge unsichtbar, *bis anhero den Kinder
der Menschen fast verborgen gewesen ist.* Es ist die Frage nach der Be
deutung von Gut und Böse als Strukturelemente des Seienden. Die Frag
nach dem unendlichen qualitativen Unterschied zwischen Gott und Mensch
die vor Böhme einen Jeremia, Luther, Calvin, nach ihm einen Pascal
Kierkegaard oder Karl Barth umgetrieben hat. Alle diese Fragen werde
angesichts *der großen Tiefe dieser Welt* bei der Betrachtung der Schöp
fung gestellt. *Darinnen ich dann in allen Dingen Böses und Gutes fan
Liebe und Zorn, in den unvernünftigen Kreaturen als in Holz, Steinen
Erden und Elementen sowohl als in Menschen und Tieren. Dazu betrach
tete ich das kleine Fünklein des Menschen, was er doch gegen diesen
großen Werke Himmels und Erden vor Gott möchte geachtet sein. Wei
ich aber befand, daß in allen Dingen Böses und Gutes war, in den Ele
menten sowohl als in den Kreaturen, und daß es in dieser Welt den
Gottlosen so wohl ginge als den Frommen, auch daß die barbarischen
Völker die besten Länder innehätten, und daß ihnen das Glücke noc
wohl mehr beistünde als den Frommen, ward ich derowegen ganz me
lancholisch und hoch betrübet und konnte mich keine Schrift trösten
welche mir doch fast wohl bekannt war; dabei dann gewißlich der Teufe
nicht wird gefeiert haben, welcher mir dann oft heidnische Gedanken
einbleuete, derer ich allhie verschweigen will.*[49]

Diese «Melancholie» bezeichnet keine zeitweilige Anwandlung. Es i
auch keine bloße psychologische Typenbezeichnung, wie man bei flüch
tiger Durchsicht der *Trostschrift von vier Complexionen* vermuten könn
te. Dort schenkt Böhme der Melancholie besondere Aufmerksamkeit un
schildert sie als *hungrig des Lichtes.* Die Mehrdimensionalität diese
Verlangens nach «mehr Licht» ist unverkennbar: *Die melancholisch
Natur ist finster und dürre, gibt wenig Wesenheit, sie frisset sich in sic
selber und bleibet immer im Trauerhause, wenngleich die Sonne in ih
scheinet, ist sie doch in sich traurig ... aber in der Finsternis ist sie im
mer in Furcht und Schrecken vor Gottes Gericht.*[50] Ein Angefochtener
vom «Teufel» Gepeinigter gesteht *der Seelen Entsetzung vor dem dun
keln Abgrunde, die entsetzet sich vor Gottes Zorn. Sie denket oft, wenn
die melancholische Complexion mit der Grimmigkeit des Gestirns ange
stecket wird, der Teufel sei da ...*[51] Nun schreibt Böhme diese *Trost
schrift* für andere, die der geistlichen Führung bedürfen. Ihnen verrät er
inwiefern er aus eigenem Erleiden spricht: *Vor der Zeit meiner Erkennt
nis war mir eben auch also. Ich lag im harten Streit, bis mir mein edle
Kränzlein ward. Da lernete ich erst erkennen, wie Gott nicht im äußer
fleischlichen Herzen wohne, sondern in der Seelen Centro, in sich selber
Da ward ich dessen erst inne ... Es ist den großen Heiligen also gegan
gen, daß sie viel Zeit um das edle Ritter-Kränzlein haben ringen müs
sen.*[52]

48

Jakob Böhme.
Stich von 1675 aus der Ausgabe des «Mysterium Magnum» von 1678

Martin Buber, 1960

Diese Eigenerfahrung ist es, die ihn andernorts berechtigt zu sagen: *Ich weiß wohl, was Melancholie ist, weiß auch wohl, was von Gott ist. Ich kenne sie beide ... Aber solch Wissen kostet nicht eine Melancholie, sondern ein ritterlich Ringen. Denn keinem wirds gegeben ohne Ringen, er sei denn im Ziel von Gott erkoren,* heißt es im Buch *Von der Menschwerdung Jesu Christi* [53]. Böhme weiß aber auch dies: *Es läßt sich der Geist Gottes nicht also binden wie die äußere Vernunft mit ihren Gesetzen und Consiliis vermeinet.* [54] Und in der *Morgenröte* fährt Böhme fort: *Als sich aber in solcher Trübsal mein Geist ... ernstlich in Gott erhub, als mit einem großen Sturme und mein ganzes Herz und Gemüte sam allen andern Gedanken und Willen sich alles darein schloß, ohne nachzulassen mit der Liebe und Barmherzigkeit Gottes zu ringen und nich nachzulassen, er segnete mich denn, das ist: er erleuchtete mich denn mi seinem Heiligen Geiste, damit ich seinen Willen möchte verstehen und meiner Traurigkeit los werden — so brach der Geist durch.* [55]

Diesen Durchbruch, den er auch einen Ansturm auf die *Porten de*

Höllen nennt, bei dem es um Leben oder Tod geht, ändert mit einemmal die Situation grundlegend: *Alsbald nach etlichen harten Stürmen ist mein Geist durch der Höllen Porten durchgebrochen bis in die innerste Geburt der Gottheit und allda mit Liebe umfangen worden wie ein Bräutigam seine liebe Braut umfähet. Was aber für ein Triumphieren im Geiste gewesen, kann ich nicht schreiben oder reden. Es läßt sich auch mit nichts vergleichen als nur dem, wo mitten im Tode das Leben geboren wird und vergleicht sich der Auferstehung von den Toten.*[56]

Es unterliegt keinem Zweifel: Hier stehen wir vor dem eigentlichen Lebensgeheimnis des schlichten Schusters. Hier läßt er uns in verborgene Tiefen seines Herzens sehen. Hier gibt er zu erkennen, daß sich ein seelischer Wandlungsvorgang vollzogen hat, der zu Erlebnissen und Ergebnissen führt, die sowohl dem schlußfolgernden begrifflichen Denken als auch einem oberflächlichen Fabulieren unzugänglich bleiben. Hier walten Gesetzmäßigkeiten höherer Wahrnehmung: I m a g i n a t i o n als ein

Melancholie. Stich von Albrecht Dürer, 1514

Aurora. Stich aus einer holländischen Böhme-Ausgabe
(Amsterdam 1686)

Abbilden übersinnlicher Wirklichkeiten, die nur mit jenen «Geistes-augen» wahrgenommen werden können, von denen Böhme in der *Mor-genröte*[57] und später auch Goethe spricht; I n s p i r a t i o n, wenn «Gei-stesohren» sich für das nur übersinnlich «hörbare Tönen» öffnen, das die Alten mit Pythagoras als Sphärenharmonie empfanden, das die Dichter aller Zeiten mit Homer als die Zusprache der Muse und die Evangelisten und Deuter der Schrift als das Erfülltwerden vom «Anhauch» des Hei-ligen Geistes nannten; schließlich I n t u i t i o n im Sinne einer Geistbe-rührung, die mit der sakramentalen Kommunion in Beziehung gesetzt werden kann. So entspricht es durchaus den Tatbeständen, die Böhme zu beschreiben, vor allem zu bezeugen hat, wenn er sich einer leicht mißverständlichen, manchmal einer verschleiernden Bildrede bedient. Denn was ist beispielsweise die Liebe, bei der sein Geist umfangen worden sei, *wie ein Bräutigam seine liebe Braut umfähet?* Hierzu ein Abschnitt aus dem Buch *Von wahrer Buße* (1622), in dem Böhme sein übersinnliches Erlebnis als die bräutliche Verbindung der Seele mit der *himmlischen Sophia* beschreibt:

Wenn sich der Eckstein Christus in dem verblichenen Bilde des Menschen in seiner herzlichen Bekehrung und Buße beweget, so erscheinet Jungfrau Sophia in der Bewegung des Geistes Christi in dem verblichenen Bilde vor der Seelen in ihrem jungfräulichen Schmucke, vor welcher sich die Seele in ihrer Unreinigkeit entsetzet, daß alle ihre Sünden erst in ihr aufwachen und vor ihr erschrecken und zittern. Denn allda gehet das Gerichte über die Sünde der Seelen an, daß sie auch wohl in ihrer Unwürdigkeit zurückeweichet und sich vor ihrem schönen Buhlen schämet, in sich gehet und sich vernichtiget als ganz unwürdig, ein solches Kleinod zu empfahen; den unseren verstanden, so dieses Kleinod geschmecket haben und sonst niemanden wissen. Aber die edle Sophia nahet sich in der Seelen Essenz und küsset sie freundlich und tingieret mit ihren Liebe-Strahlen das finstere Feuer der Seelen und durchscheinet die Seele in ihrem Leibe vor großen Freuden, in Kraft der jungfräulichen Liebe auf, triumphieret und lobet den großen Gott kraft der edlen Sophiae.[58]

Diese und ähnliche Wendungen, die bei Böhme nicht selten sind, die in der Frauenmystik des Mittelalters wie übrigens in nahezu allen mystischen Überlieferungen eine große Rolle spielen, haben nichts mit einem dekadenten Erotizismus zu tun, vor allem nichts mit einer Verwechslung weiblicher und seelisch-geistiger Sachverhalte. In der Auseinandersetzung mit der Sexualmystik Ezechiel Meths und Esaias Stiefels stellt Böhme klar, daß er bezüglich des ehelichen Lebens keine Verwechslung zwischen physisch-sinnlichen und übersinnlich-spirituellen Vorgängen dulden könne.[59] Anmerken darf man allerdings, daß das in der *Morgenröte* berichtete Erleuchtungserlebnis in die Zeit von Böhmes erstem Ehejahr fällt. Der Jungvermählte, der noch Vater von vier Kindern geworden ist, hatte sicher keinen Grund, ohne jeden Wirklichkeitsbezug von einer erotischen Mystik zu schwärmen, wenngleich er in späteren Schriften bisweilen unverständlich harte Worte über den ehelichen Vollzug verliert, die an Urteile gewisser Kirchenväter erinnern.[60] In den gleichen Zusammenhang ist Böhmes Vergleich zu rücken, den er für sein *Triumphieren im Geist* in jenem Akt findet, *wo mitten im Tod das Leben geboren wird.* Auch da fehlt der konkrete Bezug nicht. Eben in diesem Jahr, am 29. Januar 1600, wird Böhme Vater. Es ist der älteste Sohn Jakob, den ihm seine Frau Katharina schenkt.

Wer nicht von vornherein die Dimension des Übersinnlich-Geistigen leugnet, wird Böhmes Erleuchtung nicht einfach mit psychischen Projektionen eines sensiblen jungen Mannes in eins setzen. «Wer spürt und weiß, wie eng gerade in Böhmes Philosophie Geist und Leben ineinander verwoben sind, wird an dem Zusammenhang beider Ereignisse nicht zweifeln können», bemerkt Hans Grunsky.[61] So wird man bei behutsamer Deutung sagen dürfen: «In, mit und unter» realen äußeren Begebenheiten drückt sich für Böhme ein Inneres aus. Böhme ist Augen mensch. Auf dem Wege der Anschauung gelangt er zur Schau und zu Ein-Sicht, die *bis in die innerste Geburt der Gottheit* hinein vordringt Äußere Fakten und Erfahrungstatsachen wie Ehe und Geburt möger dem jungen Schuhmachermeister als ein auslösendes Moment für seir seelisches Erleben zu Hilfe gekommen sein: Transparent wurden ihn diese Ereignisse und Beobachtungen freilich nur, weil er mit einemma mit den Augen und Ohren des Geistes zu sehen vermochte. In Goethe Naturanschauung, in der die Phänomene der empirisch erfahrbaren Wel ein zugrunde liegendes Urphänomen anzeigen und in immer neuer Ge staltwandlung (Metamorphose) repräsentieren, pulsiert, ohne daß es de Dichter und Naturforscher von Weimar eigens ausspricht, Böhmes Geist

So überschreitet der Görlitzer eine Schwelle des Bewußtseins. Die Ge schichte der gesamtmenschheitlichen Initiationserkenntnis kennt der artige «Schwellenerlebnisse». «Ich ging bis zur Grenzscheide zwischer Leben und Tod. Ich betrat Proserpinens Schwelle, und nachdem ich durch alle Elemente gefahren, kehrte ich wiederum zurück. Zur Zeit der tief sten Mitternacht sah ich die Sonne in ihrem hellsten Lichte leuchten»[62] berichtet beispielsweise Apuleius von Madaura über sein Einweihungs erlebnis (zweite Hälfte des 2. Jahrhunderts). Dies «Schauen der Sonne um Mitternacht» ist auch Böhme zuteilgeworden.[63] *Davon weiß ich zu sagen, was das für ein Licht und Bestätigung sei, wer das Centrun naturae erfindet. Aber keine eigene Vernunft erlanget es.*[64] Und in der zitierten Erfahrungsbericht aus *Morgenröte im Aufgang* fährt Böhme fort: *In diesem Lichte hat mein Geist alsbald durch alles gesehen* – hier mit ist das Transparenz-Erlebnis durch Böhmes eigene Worte belegt - *und an allen Kreaturen, sowohl an Kraut und Gras Gott erkannt, we der sei und wie der sei und was sein Wille sei. Auch so ist alsbald in die sem Lichte mein Willen gewachsen mit großem Trieb, das Wesen Gottes zu beschreiben.*[65] Damit ist schon etwas über die Motive seiner Schrift stellerei wie über deren Thematik ausgesagt.

In der *Morgenröte* wie auch später gibt sich Böhme Rechenschaft übe sein Schauen, wenn er sagt: *Du darfst nicht denken, daß ich sei in Him mel gestiegen und habe solches mit meinen fleischlichen Augen gesehen O nein! Höre, du halb erstorbener Engel, ich bin wie du und habe kein größer Licht in meinem äußerlichen Wesen als du. Dazu bin ich sowoh ein sündiger und sterblicher Mensch als du,* und muß mich alle Tage und Stunden mit dem Teufel kratzen und schlagen. Auch das Leben des Erleuchteten vollzieht sich in der Alltagswelt. *Unser Leben ist wie ein steter Krieg mit dem Teufel.* Von unnüchterner Einschätzung des Erleb ten kann demnach keine Rede sein. *Wenn er aber überwunden ist, sc gehet die Himmelspforte in meinem Geiste auf. Dann siehet der Geist das göttliche und himmlische Wesen, nicht außer dem Leibe, sondern im Quellbrunnen des Herzens gehet der Blitz auf in die Sinnlichkeit des Hirns, darinnen spekulieret der Geist.*[66]

Böhme betont mehrmals, daß er sich nicht um diese Erkenntnis be müht habe. Er stellt sich an die Seite des alttestamentlichen Propheter Jeremia und sagt: *Aber der Gott, der die Welt gemacht hat, ist mir vie zu stark. Ich bin seiner Hände Werke. Er mag mich setzen, wohin er *will.*[67] Oder am Schluß des unvollendet gebliebenen Buches: *Ich bin nicht durch meine Vernunft oder durch meinen vorgesetzten Willen auf diese Meinung oder in diese Arbeit und Erkenntnis kommen. Ich habe auch diese Wissenschaft nicht gesucht, auch nichts davon gewußt.* Und nun nochmals die Anspielung auf das Ringen mit Melancholie und Teufel: *Ich habe allein das Herz Gottes gesucht, mich vor dem Ungewitter des Teufels darein zu verbergen.*[68] *In meinen eigenen Kräften bin ich so ein blinder Mensch als irgend einer ist und vermag nichts. Aber im Geiste Gottes siehet mein ingeborener Geist durch alles, aber nicht immerdar beharrlich, sondern wenn der Geist der Liebe Gottes durch meinen Geist durchbricht, alsdann ist die animalische (seelische) Geburt und die Gottheit ein Wesen, eine Begreiflichkeit und ein Licht.*[69]

Wovon er in der *Morgenröte* über seine geistige Erfahrung berichtet, dabei ist Böhme auch in späteren Zeugnissen geblieben. Man muß nur das große Erleuchtungserlebnis von 1600 von nachfolgenden Begebenheiten unterscheiden, die freilich *nicht immerdar beharrlich* angedauert haben. In der ersten apologetischen Schrift aus dem Jahre 1621 *wider Balthasar Tilken* heißt es: *Der Geist ging hindurch als ein Blitz und sah in Grund der Ewigkeit oder gleichwie ein Platzregen vorübergehet, was er trifft, das trifft er. Also gings auch in mir.*[70] Andererseits hat Böhme sein Erleben und seine Berichterstattung unter dem Gesichtspunkt einer geistigen Übung gesehen, durch die es ihm möglich wurde *von einer Stufen zur andern* wie auf einer Jakobsleiter aufzusteigen. *Mir ist die Leiter Jakobs gezeiget, darauf bin ich gestiegen bis in Himmel.*[71] Und noch einen letzten Beleg aus den *Theosophischen Sendbriefen*, die wichtige autobiographische Aufschlüsse enthalten. Dem Zolleinnehmer Caspar Lindner in Beuthen legt er im Brief aus dem Jahre 1621 nochmals auseinander, was im Jahre 1600 geschehen ist: *Von dem göttlichen Mysterio etwas zu wissen, habe ich niemals begehret, viel weniger verstanden, wie ich es suchen oder finden möchte, wußte auch nichts davon als der Laien Art in ihrer Einfalt ist. Ich suchte allein das Herze Jesu Christi, mich darinnen zu verbergen vor dem grimmigen Zorn Gottes und den Angriffen des Teufels, und bat Gott ernstlich um seinen Heiligen Geist und Gnade ... In solchem meinem gar ernstlichen Suchen und Begehren, darinnen ich heftige Anstöße erlitten, mich aber ehe des Lebens verwegen als davon ausgehen und ablassen wollte, ist mir die Pforte eröffnet worden, daß ich in einer Viertelstunden mehr gesehen und gewußt habe, als wenn ich wäre viel Jahr auf hohen Schulen gewesen, dessen ich mich hoch verwunderte, wußte nicht, wie mir geschah und darüber mein Herz ins Lob Gottes wendete. Denn ich sahe und erkannte das Wesen aller Wesen, den Grund und den Ungrund: Item die Geburt der Heiligen Dreifaltigkeit, das Herkommen und den Urstand der Welt.*[72]

Auf Spötter und Kritiker, die ihm am Zeug flicken könnten, stellt sich Böhme von Anfang ein: *Ich befinde, daß mir der klügste Teufel ist entgegengesetzt. Der wird Spötter erregen. Die werden sagen, ich wolle durch meinen eigenen Wahn die Gottheit ausgrübeln. Ja, lieber Spötter, du bist wohl ein gehorsamer Sohn des Teufels. Du magst billig der Kinder Gottes spotten.*[73] Auch die Devise «Schuster, bleib bei deinem Lei-

Der Teufel. Ausschnitt aus Albrecht Dürers Stich «Ritter, Tod und Teufel», 1513

sten!» bereitet dem Schreiber der *Morgenröte* mancherlei Skrupel: *Ich weiß auch gar wohl, daß die Kinder des Fleisches werden meiner spotten und sagen, ich sollte meines Berufs warten und mich um diese Dinge unbekümmert lassen, und mich lieber um das fleißiger annehmen, das da mir und den Meinigen den Bauch füllet, und die lassen philosophieren, die es studieret und dazu berufen sind. Mit dieser Anfechtung hat mir auch der Teufel so manchen Stoß gegeben.*[74] Wollte er die Finger von diesen Dingen lassen, dann mußte er feststellen, daß ihm dies *Fürnehmen . . . zu schwer worden* ist und sich ihm die Pforten seiner Erkenntnis wieder verschlossen.

Trotz dieser Selbsteinrede wagt er die *gelehrten und hocherfahrenen Meister der Sternenkunst*, die Naturwissenschaftler seiner Zeit, ebenso in die Schranken zu rufen wie die Herren *Doctores* an den hohen Schulen: *Ihre Erkenntnis aber stehet nur im Hause des Todes, in der äußeren Begreiflichkeit und im Anschauen der Augen des Leibes . . . So baue ich* nicht auf ihren Grund, sondern lasse ihre Erkenntnis in ihrem Sede (Thron) sitzen, dieweil ich sie nicht studieret habe und schreibe im Geiste meiner Erkenntnis ... Meine Erkenntnis stehet in dieser Geburt der Sternen, inmitten, wo sich das Leben gebäret und durch den Tod bricht und wo der wallende Geist entstehet und durchbricht. Und in dessen Trieb und Wallen schreibe ich.[75] Und der Schuster, der die Doctores ein wenig fraget, ruft der hohen Geistlichkeit zu: Ihr Theologi, allhier tut euch der Geist Tür und Tor auf. Wollt ihr nun nicht sehen und eure

Apologien. Titelkupfer zu Böhmes
Schutzschriften wider Balthasar Tilken», 1682

Schäflein auf grüner Weide weiden, sondern auf dürrer Heide, so sollt
ihr das vor dem ernsten und zornigen Gerichte Gottes verantworten. Da
sehet eben zu[76]*!*

Was gibt dem kleinen Mann den Mut und das Selbstbewußtsein, in
dieser Weise vor die Inhaber von Amt und Würden hinzutreten? Es ist
das Charisma, die Bevollmächtigung, die nicht durch irdische Instanzen
verliehen wird und die letztlich seit dem Durchbruchserlebnis datiert.
Für unfehlbar oder der Korrektur nicht bedürftig hält sich der Charismatiker Böhme gegenüber den Amtsträgern in Kirche und hoher Schule
deswegen nicht. Er besteht immerhin auf einer *richtigen und gründlichen Antwort,* etwa auf die Frage nach der *Tiefe über der Erde,* ein Begriff, der für Böhme Ausdruck innerster Erfahrung geworden ist, *wovon
die Tiefe worden sei,* worin die Gottebenbildlichkeit des Menschen bestehe, wie es sich mit dem Zorn Gottes verhalte und ähnliche Fragen
mehr. Könnten nun die Gelehrten dem Schuster irrtümliche Ansichten
nachweisen, *so will ich der erste sein und mein Buch im Feuer verbren-
nen und alles dasjenige, was ich geschrieben habe, widerrufen und ver-
fluchen, und will mich gehorsamlich unterweisen lassen.* Wer einwendet,
es gezieme sich nicht, gewisse Fragen zu stellen und auf diese Weise von
vornherein Erkenntnisgrenzen aufzurichten, von dem läßt sich Böhme
auch an diesem Punkt nicht einschüchtern: *Höre, geziemet mir nicht zu
fragen, so geziemet dir auch nicht, daß du mich richtest. Rühmest du
dich aber der Erkenntnis des Lichtes und einen Leiter der Blinden und
bist selber blind, wie willst du dann dem Blinden den Weg weisen? Werdet ihr nicht beide in eurer Blindheit fallen?*[77]

Was Böhme den Theologen und seinen Kritikern insgemein zu sagen
hat, ist dies: *Ich nehme den Himmel zum Zeugen, daß ich allhier ver-
richte, das ich tun muß; denn der Geist treibet mich dazu, daß ich auch
mit ihm gänzlich gefangen bin und mich seiner nicht erwehren kann,
vielleicht was mir auch immer hernach begegnen möchte.*[78]

So ist Jakob Böhme, der durch den Anblick der Tiefe des Seins Er-
schreckte, der von metaphysischer Melancholie Gepeinigte, zugleich ein
vom Geist Getriebener, ein Charismatiker und Träger des Geistes, dem
sich die Pforten der Wahrnehmung höherer Ordnung geöffnet haben.
Dieser Realität muß er standhalten ungeachtet des Urteils derer, die
unter anderen Erkenntnisvoraussetzungen angetreten sind oder die sich
damit begnügen, die physische Außenseite der Wirklichkeit zu wägen
und zu messen. Aber wie ist es möglich, übersinnlich Geschautes über
die Bewußtseinsschwelle zu tragen und ins Licht des Alltagsbewußtseins
zu stellen? Läßt sich ein Sprachgewand finden, das geeignet ist, die
Inhalte einer anderen Dimension der einen Wirklichkeit aufzunehmen?

Mit diesen Problemen ist Jakob Böhme konfrontiert, als er es unter-
nimmt, mitzuteilen, was ihn bedrängt.

Böhme am Schreibtisch. Aus einer holländischen Böhme-Ausgabe
(Amsterdam 1686)

SEINE SCHRIFTSTELLEREI

Der Mann, der mit Ahle und Leisten umzugehen gewohnt war, griff zur Feder. Doch das kam nicht von ungefähr. In dem denkwürdigen 19. Kapitel der *Morgenröte*, auch im zuletzt angeführten Brief an Caspar Lindner gesteht der Schauende, daß er sogleich von einem *großen Trieb* gepackt wurde, *das Wesen Gottes zu beschreiben. – Und fiel mir zuhand also stark in mein Gemüte, mir solches für ein Memorial aufzuschreiben, wiewohl ich es in meinem äußeren Menschen gar schwer ergreifen und in die Feder bringen konnte. Ich mußte gleich anfangen, an diesem großen Geheimnis zu arbeiten als ein Kind, das zur Schule gehet. Im inneren sahe ich es wohl als in einer großen Tiefe. Denn ich sahe hindurch als in ein Chaos, da alles inne lieget, aber seine Auswickelung war mir unmöglich. Es eröffnete sich aber von Zeit zu Zeit in mir als in einem Gewächse, wiewohl ich zwölf Jahr damit umging und dessen in mir schwanger war und einen heftigen Trieb in mir befand, ehe ich es konnte in das Äußere bringen, bis es mich hernach überfiel als ein Platzregen, was der trifft, das trifft er. Also ging es mir auch. Was ich konnte ergreifen, in das Äußere zu bringen, das schrieb ich auf.*[79]

Diese seine Situation eines zwölfjährigen Wartens hat er einmal mit einem jungen, frisch gepflanzten Baum verglichen, der zu gegebener Zeit die erwarteten Früchte tragen soll. Zwar entfalten sich hie und da die ersten Blüten, aber es kommt lange nicht zu einem Fruchtansatz, *mancher kalte Wind, Frost und Schnee* verhindern die Reifung. *Also ist es diesem Geiste auch gangen. Das erste Feuer war nur ein Samen, aber nicht ein immer beharrlich Licht. Es ist seit der Zeit mancher kalte Wind drüber gangen, aber der Wille ist nie verloschen. Es hat sich dieser Baum auch oft versucht, ob er möchte Früchte tragen und sich mit Blühen erzeiget, aber die Blüte ist von dem Baume abgeschlagen worden bis auf dato.*[80]

Dann aber bricht der geistige *Platzregen* über ihn herein und *trifft*. Von Anfang Januar 1612 schreibt Böhme Seite um Seite an seinem Erstling. In den Briefen läßt er gelegentlich durchblicken, daß der Abschreiber seiner Sachen ein *gelehrter, verständiger Mann* sein sollte, weil seine Manuskripte alles andere als Reinschriften sind. Es fehlen Silben oder Buchstaben, ganz zu schweigen von der allgemein üblichen Orthographie. Oft ist *ein gemein Buchstabe für einen Versal gesetzt*, nicht etwa aus purer Unkenntnis oder Nachlässigkeit, sondern *es hat keine Zeit gehabt zu bedenken nach dem rechten Verstande des Buchstabens, sondern alles* (ist) *nach dem Geiste gerichtet, welcher öfters ist in Eil gegangen, daß dem Schreiber die Hände wegen der Ungewohnheit gezittert*[81]. Er könne etwas zierlicher und verständiger schreiben, heißt es dann weiter, aber das *brennende Feuer*, das seine Inspiration vorangetrieben hat, duldete keinen Verzug. *Wäre es möglich alles zu ergreifen und zu schreiben, so würde es wohl dreimal mehr und tiefer gegründet, aber es kann nicht sein. Und darum werden mehr als ein Buch gemacht, mehr als eine Philosophie, und immer tiefer, also daß dasjenige, was in einem* (Buch) *nicht hat mögen ergriffen werden, in dem andern gefunden werde.*[82]

Hier wird die Frage berührt, in welcher Geistesverfassung Böhme geschrieben habe. In Ergänzung zu dem, was über die Bewußtseinslage gesagt wurde, in der er seine Geistesschau empfangen hat, ist zu betonen, daß keinesfalls von dem die Rede sein kann, was die Parapsychologie unter einem Schreibmedium versteht, das bei gedämpftem Bewußtsein in Funktion tritt. Der Geist, der ihn treibt und dem er letztlich sein Werk verdankt, schaltet sein wachbewußtes Ich nicht aus, sondern nimmt es in Dienst, steigert und erfüllt es. Eine religionsgeschichtliche Parallele bietet der Apostel Paulus, der Gal. 2,20 von sich sagt: «Ich lebe, doch eigentlich lebe nicht ich, sondern Christus lebt in mir, in meinem

«Gebeth Büchlin auff alle Tage in der Wochen».
Manuskriptseite von Jakob Böhme

Ich.» – Das menschliche Ich ist zum Gefäß des Christus-Logos geworden. Mit dieser Einwohnung des Wortes (Logos) steht auch die Inspiration des Jakob Böhme in engstem Zusammenhang. Diese Einwohnung wird von ihm auch als die Verbindung mit der *himmlischen Sophia* bezeichnet. Will man sich der Sprache der modernen Tiefenpsychologie, etwa derjenigen C. G. Jungs, bedienen, so läßt sich das religiös als «Geistesleitung» verstandene Phänomen als Aktivierung des «Unbewußten» deuten, das ungeahnte innere Erfahrungen ermöglichen kann. «Solange die Religion nur Glaube und äußere Form und die religiöse Funktion

61

C. G. Jung

nicht eine Erfahrung der eigenen Seele ist, so ist nichts Gründliches geschehen. Es muß noch verstanden werden, daß das ‹mysterium magnum›
nicht nur an sich vorhanden, sondern auch vornehmlich in der menschlichen Seele gegründet ist. Wer das nicht aus Erfahrung weiß, der mag
ein Hochgelehrter der Theologie sein; aber von Religion hat er keine
Ahnung . . .»[83]

Böhme weiß nicht nur um diese Erfahrung. Er spricht sich expressis
verbis in ähnlichem Sinne aus. C. G. Jung hat deshalb an zahlreichen
Stellen seines Werkes auf Böhmes Schauen Bezug genommen.

In einer längeren, später eingefügten *Rechenschaft des Schreibers* der
Morgenröte legt Böhme nochmals dar, von wem er seine Gaben hat und
wie die Eigenart seines literarischen Schaffens zu bestimmen ist: *Gott
hat mir das Wissen gegeben. Nicht ich, der ich der Ich bin, weiß es, sondern Gott weiß es in mir. Die Weisheit (Sophia) ist seine Braut, und die
Kinder Christi sind in Christo, in der Weisheit, auch Gottes Braut. So
nun Christi Geist in Christi Kindern wohnet und Christi Kinder Reben
am Weinstocke Christi sind und mit ihm ein Leib sind, auch Christi
Geist, wem ist nun das Wissen? Ist es mein oder Gottes? Sollte ich denn
nun nicht im Geiste Christi wissen, woraus diese Welt sei geschaffen, so
derselbe in mir wohnet, der sie geschaffen hat? Sollte er es nicht wissen?
So leide ich nun, und will nichts wissen, der ich der Ich bin, als ein Teil
von der äußern Welt, auf daß er in mir wisse, was er will. Ich bin nicht
die Gebärerin im Wissen, sondern mein Geist ist sein Weib, in der er
das Wissen gebieret nach dem Maß, als er will.*[84]

In *Mysterium Magnum*, Böhmes Genesis-Kommentar, begegnet der Autor in ganz ähnlicher Weise dem Einwand der *Vernunft*, die kritisch fragt, woher denn der Kommentator wisse, was damals geschehen ist, als Gott die Welt gründete, und woher er seine Kenntnis über innergöttliche Vorgänge nehme. Ob der Schauende etwa dabeigewesen sei. Böhmes Antwort ist positiv: Er ist *auf magische Art*, das heißt spirituell betrachtet, *wahrhaftig dabei gewesen und* (habe) *dies gesehen. Aber ich, der ich bin, habe es nicht gesehen. Denn ich war noch nicht eine Kreatur. Aber wir habens in der Essens der Seelen, welche Gott dem Adam einblies, gesehen.*[85] Unschwer lassen sich hier Brücken schlagen zu C. G. Jungs Archetypenlehre und zur Hypothese des «kollektiven Unbewußten», durch das die Psyche des Einzelmenschen an der realen Geistwelt der gesamten Menschheit teilhat. Böhme möchte nicht mißverstanden oder angefeindet werden, weil das, was er zu sagen hat, *ohne meinen Bewußt*(sein) zustande kam: *Denn ich, der ich der Ich bin,* heißt es in der «Rechenschaft» weiter, *habe es nicht zuvor gewußt, das ich euch geschrieben habe. Ich vermeinte, ich schrieb allein mir und ist ohne meinen Bewußt also geraten.*[86]

Böhme liegt viel daran, seinen Freunden, aber auch seinen Kritikern und Gegnern gegenüber immer wieder zu betonen, daß seine *Morgenröte im Aufgang* nicht in der Absicht verfaßt worden sei, anderen seine Gesichte und Einsichten mitzuteilen oder gar missionarisch zu wirken. In einer Reihe von Briefen bekundet der gewissermaßen über Nacht zum Schriftsteller gewordene Schuster seine Verwunderung darüber, wie seine Aufzeichnungen in immer neuen Abschriften die Runde gemacht haben und das *von einer einfältigen Hand* Geschriebene so *hohen und gelehrten Leuten* zu Gesicht gekommen sei. Böhmes Verwunderung ist um so größer, *dieweil er* (der Autor) *es nur für sich selber zu einem Memorial und zu einer Aufrichtung des finstern Schlafs in Fleisch und Blut geschrieben hatte, dazu mit keinem Fürsatze, ein solches Werk zu machen . . . Aber es ging mit mir, gleich als wenn ein Korn in die Erde gesäet wird, so wächst es hervor in allem Sturm und Ungewitter, wider alle Vernunft.*[87] So liegt demnach ein Wachstumsgeheimnis in seinem Schreiben verborgen, ein Geheimnis, das zur Veröffentlichung drängt wie der Keimling zum Licht.

Und an anderer Stelle: *Solche meine Schriften gedachte ich mein Leben lang bei mir zu behalten und keinem Menschen zu geben. Aber es fügte sich, daß ich nach Schickung des Höchsten einem Menschen etwas davon vertrauete –* gemeint ist Karl Ender von Sercha, der sich das Teilmanuskript aushändigen und von dritter Hand heimlich abschreiben ließ –, *durch welchen es ohne mein Vorwissen offenbar wurde, darauf mir das erste Buch* (Aurora) *entzogen ward.*[88] Das Wort vom persönlichen *Memorial* findet sich aber auch in den Böhme-Schriften selbst, beispielsweise im zweiten Werk *Von den drei Prinzipien* aus dem Jahre 1619. Dort, wo er eine Anweisung gibt, mit welcher Einstellung seine Schriften zu lesen seien, heißt es: *Denn was ich jetzt erkenne, das schreibe ich für mich zu einem Memorial.*[89] Spätestens hier unterliegt aber keinem Zweifel, daß der Autor bereits an konkrete Leser denkt. Nach einem bestimmten Plan oder Vorsatz hat er freilich nicht geschrieben. Es waren die Ratsuchenden, die Fragesteller, die Freunde, die erkannten, daß hier eine Quelle geistiger Inspiration fließt. Ihrem Bitten und Drängen konnte sich Böhme nicht versagen. Wie sein persönliches Geschick, so überließ er es einem andern, was mit seinem Werk geschah: *Gott weiß wohl, was er tun will, das mir noch etlichermaßen verborgen ist*, heißt es im genannten Buch. Und auf die Frage, für wen er schreibe, antwortet er noch im Jahre 1621 unverblümt: *Ich schreibe für mich und laufe niemand nach. Ich habe* (meine Bücher) *in keinem Buchladen feil. Wären nicht gottesfürchtige Leute gewesen, die mich inniglich und in rechter christlicher Meinung darum hätten angelanget und gebeten, ich hätte wohl niemand nichts gegeben.*[90]

Aber so ganz eindeutig ist Böhmes Behauptung, er habe nur für sich schreiben wollen, nicht, auch dann nicht, wenn man die später verfaßten Vorreden zur *Morgenröte* in Abzug bringt oder der Tatsache Rechnung trägt, daß zwei oder drei Bearbeiter (z. B. Heinrich Prunius) kleinere Textkorrekturen angebracht haben. Vom Bewußtsein, in die Zeit hinein sprechen zu sollen, für seine Zeitgenossen eine wichtige Botschaft zu haben, muß bereits der Schreiber der *Morgenröte* beherrscht gewesen sein, auch wenn er sich nicht im einzelnen klar gewesen sein sollte, wie und auf welche Weise er an die Menschen herankommen konnte. Karl Ender von Sercha, jene Schlüsselfigur im Leben des Schusters, sein erster Publizist, könnte man sagen, muß ja eben erst erfahren haben, daß der Schuster, der am Görlitzer Neiße-Tor wohnt, an einem Buch schreibt, bevor jener sich diese Blätter vorlegen lassen konnte. Nicht umsonst spricht übrigens das prophetische «Jetzt und Hier» bei Böhme eine so bedeutsame Rolle: J e t z t ist die Zeit, in der sich Großes anbahnt. W i r sind es, die sich angesichts dieses Bevorstehenden entscheiden müssen. Von der *Morgenröte des Tages* heißt es am Eingang des zweiten Buches: *Es ist nunmehr Zeit, vom Schlafe aufzuwachen, denn der Bräutigam rüstet sich, seine Braut zu holen. Er kommt aber mit einem hellscheinenden Licht. Welcher wird Öl in seiner Lampen haben, dessen Lampe wird angezündet werden . . .* Das ist eine deutliche Anspielung an die eschatologische Bildrede aus dem Matthäus-Evangelium (Kap. 25,1–13) von den «klugen Jungfrauen», die sich mitten in der Nacht aufmachen, dem Bräutigam entgegenzugehen. Entscheidend ist dort, daß sie ausreichenden Ölvorrat haben. Hier wie dort beherrscht die Stimmung gespannter Erwartung die Szene. Es geht um den großen Advent des Christus. Deshalb sieht der angebliche *Memorial*-Schreiber seine Aufgabe darin, anzuzeigen, *daß der große Tag der Offenbarung und endlichen Gerichts nun nahe und täglich zu gewarten sei*[91]. Ein paar Seiten weiter: *Der Fiedler hat seine Saiten schon aufgezogen, der Bräutigam kommt.*[92] So geht es hin bis zum 26. Kapitel, mit dem die *Morgenröte im Aufgang* abbricht. *Dann werden je länger je mehr etliche Strahlen des Tages in etlicher Menschen Herzen durchbrechen und den Tag verkündigen.*[93] Im April 1624, ein halbes Jahr vor seinem Tod, meint Böhme geradezu: *Es ist die Stunde der Reformation kommen.*[94]

Um dieser *etlicher Menschen* willen, die er der Reformation, dem Zeitalter der Lilie, entgegenführen wollte und von denen er zweifellos schon einige zum Zeitpunkt der Niederschrift seines ersten Buches ge-

Diese Figur, wie sie der Autor in seinem Manuscripto adumbriret, habe ich in solcher Form empfangen, Abraham von Sommerfeld.

Wie sie in der Amsterdamer Edition A. 1682 gebildet.

Kupferstich aus dem «Mysterium Magnum», 1623. Ausgabe von 1730

kannt haben wird, vertauscht der Schuster die Ahle mit dem Federkie[l]
Ihnen, die er als seine *christlichen Brüder* anspricht, gilt fortan in zuneh[-]
mendem Maße sein Dienst als Autor, mehr noch als Seelenführer. (A[ls]
«Seelsorger» wird man Böhme nicht bezeichnen sollen, um nicht de[n]
Eindruck zu erwecken, er habe zu irgendeinem Zeitpunkt in die Domän[e]
der «verordneten Diener des Wortes» einbrechen wollen.) In dem berei[ts]
zitierten Brief an einen Unbekannten vom Dezember 1622 findet sich de[r]
Satz: *Habe auch mein Handwerk um deswillen liegen lassen, Gott un[d]
meinen Brüdern in dem Berufe zu dienen.*[95]

Weil es eben solche *gottesfürchtige, fromme Herzen* gibt, *denen ih[r]
Christentum noch ein Ernst ist*, kann sich Böhme nicht entziehen. *Ode[r]
hat mirs Gott gegeben, daß ichs sollte unter die Bank stecken oder in d[ie]
Erde graben?* So ist es klar: Böhme hat sein *Memorial* nicht peinlich ge[-]
hütet, sondern wie ein Licht auf einen Leuchter gestellt. Man muß ih[m]
hinzufügen, daß er die Inhalte seiner Bücher nie angepriesen oder a[ls]
eine Allerweltsweisheit für jedermann empfohlen hat. Ebensowenig ha[t]
er übrigens auch um Gesinnungsgenossen geworben. Er wartete eher ab[,]
bis die Fragenden zu ihm kamen und die Empfänger der Manuskript[e]
weiteren Aufschluß von ihm verlangten. Böhme hat sich nie als Auto[r]
für die Masse des Kirchenvolks verstanden, die hatte die Amtsinhabe[r]
wie Oberpfarrer Gregor Richter auf ihrer Seite. Deshalb schrieb er fü[r]
den kleinen Kreis derer, die den Weg ernsthafter Christus-Nachfolg[e]
gehen und Erkenntnis der Tiefe des Seins erlangen wollten. Diese Men[-]
schen brachten seiner Überzeugung nach am ehesten die Erkenntnisvor[-]
aussetzungen mit, die Böhme von den Lesern seiner Bücher verlange[n]
mußte. Es handelt sich um so etwas wie um ein hermeneutisches Prinzi[p,]
um eine Verstehenslehre, in der weder die Grundsätze von Philosophi[e]
und Philologie noch der äußere Wissensstand eines Menschen die aus[-]
schlaggebende Rolle spielen. Die *parteiischen Klüglinge*, die *Lügen[-]
Skribenten* machten daher auf ihn den geringsten Eindruck, wenngleic[h]
der Schuster auch mit Respekt von den *Doctores* spricht, denen er nicht[s]
dreinzureden hat. Ihrer Kunst gegenüber ist er nicht kompetent, sei[n]
Talent ist anderer Art. *Ja, lieber Leser* – heißt es am Schluß der *Morgen[-]
röte* –, *ich verstehe der Astrologorum* (d. h. der Astronomen) *Meinun[g]
auch wohl. Ich habe auch ein paar Zeilen in ihren Schriften gelesen un[d]
weiß wohl, wie sie den Lauf der Sonnen und Sternen schreiben* – da[s]
Weltbild des Kopernikus ist ihm demnach nicht fremd[96] –, *ich veracht[e]
es auch nicht, sondern halte es meistenteils für gut und recht. Daß ic[h]
aber etliche Dinge anders schreibe, tue ich nicht aus einem Wollen ode[r]
Wahn, daß ich zweifle, obs also sei . . . Denn ich habe meine Wissen[-]
schaft nicht vom Studio . . . Weil ich aber die Porten Gottes in meine[m]
Geist sehe, und habe auch den Trieb dazu, so will ich nach meinem An[-]
schauen recht schreiben und keines Menschen Autorität ansehen.*[97]

Aus diesen wenigen Zeilen geht hervor, daß der *einfältige* Schuste[r]
um den Unterschied der Erkenntnisvoraussetzungen der heraufkommen[-]
den Naturwissenschaft und denen seiner eigenen Sichtweise wußte. We[il]
ihm klar war, w e s h a l b er sich nach *keines Menschen Autorität* z[u]
richten hatte, deshalb konnte er andererseits unter Berufung auf sein[e]
Erkenntnis des Geistes mitten *in der Geburt des neuen Leibes* diese[s]

Welt für sich selbst Autorität beanspruchen. Von diesem Selbstverständnis her schreibt Böhme. Von daher will er auch verstanden werden, wenn er sagt: *Der oberste Titel «Morgenröte im Aufgang» ist ein Geheimnis, Mysterium, den Klugen und Weisen in dieser Welt verborgen, welches sie selbst werden in kurzem müssen erfahren. Denen aber, so dieses Buch in Einfalt lesen, mit Begierde des Heiligen Geistes, die ihre Hoffnung allein in Gott stellen, wird es nicht ein Geheimnis sein, sondern eine öffentliche Erkenntnis.*[98]

Damit fordert der Autor, daß sich der um Verständnis bemühte Leser unter dasselbe Prinzip stelle, unter dem sein Buch entstanden ist. Und die hermeneutische Faustregel hieße demzufolge: Schriften, die auf dem Wege der Imagination und Inspiration empfangen worden sind, beurteilt man nur dann sachgemäß, wenn man sich die dafür nötigen Erkenntnisvoraussetzungen verschafft. Bei Böhme heißt dies so: *Darum will ich den Leser treulich gewarnet haben als wie mit einer Vorrede über dies große Geheimnis, ob er dies Ding nicht verstände und doch gern verstehen wollte, daß er wollte Gott um seinen Heiligen Geist bitten, daß er ihn wolle mit demselben erleuchten. Ohne Erleuchtung desselben wirst du dieses Geheimnis nicht verstehen; denn es ist in des Menschen Geist ein fest Schloß davor, das muß vorher aufgeschlossen werden, und das kann kein Mensch tun, denn der Heilige Geist ist allein der Schlüssel dazu.*[99] In den neun Schriften, die zu dem Band *Der Weg zu Christo* vereinigt sind und die den lateinischen Titel *Christosophia* tragen, hat Böhme den geistlichen Schulungsweg, wie er sich ihm darstellte, näher beschrieben.

Wem also hat der Görlitzer Schuster geschrieben? Die Antwort muß lauten: Den «geistlich Armen», das heißt den Bettlern um Geist, die Jesus in der Bergpredigt selig preist (Matth. 5). Den *Einfältigen* hat er geschrieben, das heißt denen, die aus dem Zwiespalt der beiden Seelen in ihrer Brust sich nach dem Einen sehnen, das not tut; Ziel jeder Bemühung um Ganzwerdung, um Individuation und Selbstverwirklichung. *Aber den vorhin* (d. h. von vornherein) *Klugen, welche alles und doch auch nichts begreifen und wissen, denen habe ich nichts geschrieben; denn sie sind vorhin* (von vornherein) *satt und reich* (arm); *sondern den Einfältigen wie ich bin, damit ich mich möge mit meinesgleichen ergötzen.*[100] Damit bietet Jakob Böhme den Lesern seiner Bücher eine Gemeinschaft des Geistes an, die über Raum und Zeit hinausreicht. *Und ferner füge ich euch, daß ihr meine Schriften nicht wollet ansehen als eines großen Meisters; denn Kunst ist nicht darinnen zu sehen, sondern großer Ernst eines eifrigen Gemüts, das nach Gott dürstet.*[101]

Werfen wir nun einen Blick auf die Schicksale des Böhme-Schrifttums: Über den Büchern Jakob Böhmes hat ein günstiges Schicksal gewaltet. Wenn man bedenkt, daß der weitaus größte Teil der Werke zur Zeit des Dreißigjährigen Krieges niedergeschrieben und bis auf eine Ausnahme (*Der Weg zu Christo*) zuerst nur handschriftlich verbreitet wurde, ist es erstaunlich, daß das Gesamtwerk in der heute vorliegenden Geschlossenheit erhalten geblieben ist.

In der Böhme-Gesamtausgabe von 1730 findet sich ein «Catalogus der originalen Handschriften und ersten Kopien der sämtlichen Schriften des

DE VITA ET SCRIPTIS
JACOBI BÖHMII
oder
Ausführlich erläuterter
Historischer Bericht
von dem
Leben
und
Schriften
des teutschen Wunder-Mannes
und hocherleuchteten Theosophi,
Jacob Böhmens,
aus bewährten und unverwerflichen Nachrichten
mit aller Treue und Aufrichtigkeit
in sieben Abtheilungen verfasset,
und über alle vorige Editionen
mit wichtigen Erläuterungen und Zusätzen
vermehret, auch durchgehends mit Fleiß verbessert,
und
Zum Vergnügen der Liebhaber dieses
theuren Mannes und seiner sehr edlen Schriften,
zum Druck befördert.
Im Jahr des ausgebornen grossen Heils 1730.

*Titelkupfer der elfbändi-
gen Gesamtausgabe von
1730*

seligen Jacob Böhmens»[102]. Der Herausgeber Johann Wilhelm Ueberfeld
hat sich die Mühe gemacht, seinen Lesern von der Herkunft der literarischen Quellen detaillierte Rechenschaft abzulegen, aus denen er bei der
Zusammenstellung und Textgestaltung geschöpft hat. Ähnlich verfuhr
bereits Johann Georg Gichtel, dem die erste Ausgabe von 1682 im wesentlichen zu verdanken ist. Dort heißt es: «Kurz nach des seel. Autoris
Tode, da eines von denselben [Manuskripten], durch Schickung Gottes
nach Amsterdam und zu eines frommen und einfältigen Kaufmanns
Abraham Willemsz. van Beyerlandt Händen kommen, ist er alsobald
davon entzündet worden, und hat von dem an nicht unterlassen, nach
den übrigen allen zu trachten, massen er die damals noch lebende seel.
Jacob Böhmens vertraute Freunde, so teils vornehme Edelleute als Doctores, erforschet, und um dieser Bücher willen schriftliche Korresponden-
mit ihnen gehalten, auch gar kein Geld gesparet (da irgend etwas zu
bekommen gewesen) an sich zu kaufen, wie es ihm dann auch Gott ge-
deihen lasse.»[103] In unseren Tagen ist es vor allem das Verdienst von
Werner Buddecke, der einerseits die überlieferungsgeschichtlichen An-

68

gaben bis 1730 überprüft, andererseits den Spuren von Böhmes literarischer Hinterlassenschaft während der letzten beiden Jahrhunderte nachgegangen ist.

Während Böhmes Erstling, die *Morgenröte* – wie auch alle seine weiteren Bücher –, in Abschriften unter die Leute kamen, blieb die Urschrift der *Morgenröte* vom Tage ihrer Beschlagnahmung durch den Görlitzer Magistrat im Sommer 1613 bis 1641 auf dem Rathaus der Stadt in Verwahrung. Am 26. November dieses Jahres überreichte der damalige Bürgermeister Dr. Paul Scipio das Buchmanuskript dem kursächsischen Hausmarschall Georg von Pflugen auf Posterstein, «aus dessen Hand es im folgenden Jahre durch Henricum Prunium [Heinrich Prunius] an den sel. Herrn Beyerland in Amsterdam gelanget». Die «ersten, richtigsten und mit den Originalen nachgesehenen Kopien» hütete jener Karl Ender von Sercha auf Leopoldshain, durch den die *Morgenröte* zuallererst abgeschrieben und verbreitet worden war. Der Herausgeber teilt mit, wie man anfangs verfuhr, um möglichst rasch an das entstehende Werk heranzukommen. «Diese Liebhaber Christi ließen die eigene Handschrift des Autorius, wenn ein, zwei oder drei Bogen davon vorhanden gewesen, alsbald abholen, schrieben dieselbigen ab und schickten sie sodann weiter fort an andere, die auch dergleichen getan.»[104] Unter diesen «Mitkopisten» wird der Zolleinnehmer von Sagan, Christian Bernhard, «ein junger Geselle», dem wir ferner in der Liste der Briefempfänger mehrmals begegnen, eigens genannt und als «spezieller Korrespondent J. Böhmens» vorgestellt.

Von den meisten Originalmanuskripten entstanden drei oder vier Kopien, mehr als hundert insgesamt. Diejenigen von Christian Bernhard und Michael Ender gelten als die zuverlässigsten. Abraham Willemsz. van Beyerland hat sich infolge seiner «höchst gewissenhaften Arbeit» (W. Buddecke) um die Betreuung des Böhme-Nachlasses verdient gemacht, indem er die Manuskripte sammelte, verschiedene Lesarten sorgfältig verglich, nahezu alle Schriften übersetzte und auf seine eigenen Kosten drucken ließ. Während in Böhmes Vaterland der Meinungsstreit zwischen der Theologie und den Böhme-Anhängern ausgetragen wurde, legte man in Holland die Grundlagen für eine Edition und Verbreitung des Böhme-Schrifttums. Neben der Veröffentlichung von Einzelschriften, die Heinrich Betke in den Jahren 1658 bis 1678 besorgte, bereitete man in Holland die erste deutsche Gesamtausgabe vor, ein Unternehmen, das der Regensburger Advokat Johann Georg Gichtel leitete. 1682 begannen «des gottseligen hocherleuchteten Jacob Böhmens Teutonici Philosophi alle theosophischen Werke» in fünfzehn kleinen Oktavbänden zu erscheinen. In den Folgejahren tauchten weitere Originalschreiben auf. Im Nachlaß des schwedischen Agenten in Amsterdam, Michael le Blons, einem Freund Beyerlands, fanden sich zahlreiche Böhme-Briefe. Für die zweite Gesamtausgabe (1715) zogen J. W. Ueberfeld und J. O. Glüsing jedoch nicht die Original-Handschriften, sondern Gichtels Handexemplar der Erstausgabe heran. Eine wesentliche Verbesserung stellte die dritte Ausgabe von 1730 dar, für die Ueberfeld allein verantwortlich zeichnete. Böhmes ursprüngliche Sprachform und Schreibweise konnte der besseren Verständlichkeit wegen zwar nicht erhalten werden. Es wurde aber ein

auf und durch Alle dringet; GOtt gebe, es habe gleich
Petrus oder Paulus anders geschrieben, so sehet doch auf
den Grund, aufs Hertze: so ihr nur das Hertze GOttes er-
haschet, so habt ihr Grundes genug. Lasset mich GOtt noch
eine Weile leben, so will ich euch die Gnaden-Wahl St. Pauli
wol weisen.

1612.

Beschluß des Autoris. Epist. 10.38.

„ICh bescheide den GOtt-liebenden Leser, daß dis
„Buch MORGEN-ROETHE nicht ist vollen-
„det worden: denn der Teufel gedachte Feyer-Abend
„damit zu machen, weil er sahe, daß der Tag darinnen
„wolte anbrechen. Auch hat der Tag die Morgenrö-
„the schon übereilet, daß es fast lichte ist worden; Es
„gehöreten noch wol ein 30 Bogen darzu. Weil es aber
„der Sturm hat abgebrochen, so ists nicht vollendet
„worden, und ist unterdessen Tag worden, daß die Mor-
„genröthe ist verloschen, und ist seit der Zeit am Tage
„gearbeitet. Soll auch also bleiben stehen zu einer ewi-
„gen Gedächtniß, weil der Mangel in den andern Bü-
„chern ist erstattet worden.

1620.

ENDE.

Ende der
«Morgenröte
im Aufgang».
Aus: «Theosophia
revelata», 1730

hohes Maß an textlicher Zuverlässigkeit und Genauigkeit erzielt. Der
Herausgeber orientierte sich bei der Textgestaltung an den Urschriften
und fügte dem Werk zahlreiche biographische, bibliographische Beilagen
sowie ein umfangreiches Register bei. Späteren Ausgaben, etwa derjenigen von Schiebler, ist die Ausgabe von 1730 daher vorzuziehen. Das
ist auch der Grund, weshalb August Faust und nach ihm Will-Erich
Peuckert eine Faksimile-Ausgabe jener «Theosophia revelata» veranstal-
teten.

Die Urschriften selbst gerieten danach bald in Vergessenheit. Nach
knapp zwei Jahrhunderten galten sie als verschollen, zumal man Origi-
nale und Abschriften nicht mehr voneinander unterscheiden konnte.
Richard Jecht, vor allem Werner Buddecke kommt das Verdienst zu,
einen neuen Zugang zu den Quellen eröffnet zu haben. 1934 entdeckte
Buddecke die Urschrift von Böhmes *Morgenröte im Aufgang*. Eine kleine
Gemeinde von Böhme-Freunden in Linz am Rhein hütete diese Kostbar-

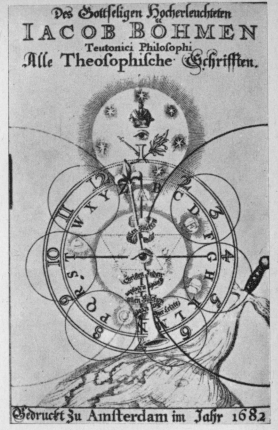

Des Gottseligen Hocherleuchteten
IACOB BÖHMEN
Teutonici Philosophi
Alle Theosophische Schrifften.

Gedruckt zu Amsterdam im Jahr 1682

keit neben anderen Originalmanuskripten und Briefen. Über Leiden, Berlin und Pammin in Pommern hatten diese Handschriften bei jenen «Stillen im Lande» eine neue Obhut gefunden. Nach Beschlagnahmung durch Behörden des Dritten Reiches und nach Evakuierungen während des Krieges sind wichtige Teile des Schriftgutes sichergestellt. Werner Buddecke hat inzwischen die noch verfügbaren Urschriften zum erstenmal herausgegeben und so die Voraussetzungen für die sprachwissenschaftliche Erforschung der Werke Böhmes geschaffen. «Im Durchbruch der Mundart und im völlig unbekümmerten, souveränen Umgang mit der Rechtschreibung [wird] die urwüchsige Art Böhmes sehr lebendig.»[105]

DER HELLSICHTIGE DENKER

Die uralte Menschheitsfrage nach dem Wesen Gottes, der Welt und des Menschen hat Böhme neu aufgeworfen und zu beantworten versucht. Nimmt man die Tatsache ernst, daß er sich dabei keinesfalls *auf weltliche Weisheit der hohen Schulen* oder auf die seiner Überzeugung nach sehr begrenzten Fähigkeiten der *Vernunft* beruft, sondern sich allein auf das verläßt, was der Geist eingibt, dann muß man sagen: Böhmes Antworten auf die Frage nach der Gottes-, Welt- und Menschenweisheit sind letztlich Antworten des *feurigen Triebs,* der ihn überwältigt hat. *Bei mir suche niemand das Werk ... Nicht rede ich von mir, sondern von dem, was der Geist zeuget, dem niemand widerstehen kann. Denn es stehet in seiner Allmacht und lieget nicht an unserem Wähnen oder Willen,* heißt es im Brief an Abraham von Sommerfeld.[106]

Schlägt man nun die betreffenden Kapitel der *Morgenröte,* der *Drei Prinzipien* oder des *Mysterium Magnum* auf, in denen er von Gott und Gotteserkenntnis handelt, dann könnte man zunächst den Eindruck haben, daß hier ein Mensch rede, der vor der Fülle der Gesichte den Sinn für die Realität dieser Welt verloren habe oder der in der Gefahr stehe, den Blick von näher liegenden Seinsbereichen abzuwenden. In einer Zeit, da Entwürfe einer Gott-ist-tot-Theologie ernsthaft diskutiert werden, fällt es freilich besonders schwer, einem Theosophen von der Art eines Jakob Böhme zuzuhören. Wer sich über der manchmal strapaziösen Lektüre seiner Werke nicht allzu schnell entmutigen läßt, der entdeckt jedoch, daß Böhmes Aufmerksamkeit sich keinesfalls nur auf das innerste Zentrum der von ihm mit besonderer Hingabe geschauten und geschilderten Gotteswelt richtet. Er treibt nicht «Theosophie» um ihrer selbst willen. Sein bohrendes Fragen geht weiter. Es richtet sich auf eine «Kosmosophie», unter der eine Welt- und Naturerkenntnis zu verstehen ist. Von hier aus treibt es ihn weiter zu einer Erkenntnis des Menschen. Diese «Anthroposophie» Böhmes ist aber seiner Meinung nach nur möglich durch ein neu zu erringendes Christusverständnis. Böhmes «Christosophie» ist, wie noch zu zeigen sein wird, eine ungemein praktische Angelegenheit. Der Mensch muß sich einer Wandlung unterziehen. Diese Christosophie hat für ihn nur insofern einen Wert, als der Mensch sich entschließt, an seiner Menschwerdung mitzuarbeiten. Er nennt es *Wiedergeburt.*

So betrachtet, stellen Böhmes Theosophie – Kosmosophie – Anthroposophie und Christosophie eine Einheit dar. Das eine *urständet* im andern; das eine zielt auf das andere hin. Insofern haftet dem Versuch, an einigen Punkten Böhmes Denken und Schauen bzw. auf sein schauendes Denken einzugehen, im vornherein der Charakter einer behelfsmäßigen Vereinfachung an. Außerdem war der «erste deutsche Philosoph», als den ihn Hegel anerkannt hat, keinesfalls ein Denker, der sich der Denkmethodik bedient hätte, wie es etwa Böhmes jüngerer Zeitgenosse Descartes forderte. Statt einer klar umrissenen Begrifflichkeit begegnen wir bei Böhme einer Fülle mehrdeutiger und interpretationsbedürftiger Bilder. Sie lassen sich nicht ohne weiteres in das Gedankenelement umschmelzen. Die Bilder in sich sind voller Dynamik. Diese Beweglichkeit, die seinem schauenden Denken anhaftet, entspricht wiederum dem Inhalt und der Intention des Görlitzers. Er hat einen Prozeß zu schildern, wenn er Aussagen über Gott, Welt und Mensch macht. In diesen Prozeß soll sich der Mensch unter Anspannung aller seiner Willenskräfte selbst hineinbegeben. Hier wird die christosophisch-praktische Note seiner Theosophie, Kosmosophie und Anthroposophie gesetzt. Diesem Vorgang muß sich der Leser anvertrauen. *Ich schreibe allein zu dem Ende, daß der Mensch sich lerne kennen, was er sei, was Gott, Himmel, Engel, Teufel und Hölle, sowohl der Zorn Gottes und höllisch Feuer sei; denn es ist mir auch so weit zugelassen zu schreiben vom Urkund.*[107]

Warum wir von den Termini «Theologie, Kosmologie, Anthroposophie» abrücken. Weil sie Böhmes Wirklichkeitsschau wenig angemessen sind. Mit den zeitgenössischen Vertretern dieser Fachrichtungen wollte er nicht verwechselt werden. Er war sich, wie wir gesehen haben, dieses Unterschieds bewußt. Die Sichtweise der Wissenschaft ließ er an ihrem Ort gelten; gleichzeitig suchte er s e i n e r Wissenschaft Anerkennung zu verschaffen, ohne den etablierten Autoritäten allzu große Reverenz zu erweisen. Im übrigen ist es die *himmlische Sophia,* deren Umgang er überschwenglich pries und durch die er ermächtigt schien, seine Weisheit von Gott, Welt und Mensch auszubilden. Der Zusprache dieser Sophia, die sich der Seele vermählt und das innere Auge öffnet, verdankt er

Titelkupfer zum «Studium universale» von Valentin Weigel,
Frankfurt a. M. 1698

letztlich seine Erkenntnis. Worauf es dem schauenden Denker ankommt, ist dies, *daß wir unseren begehrenden Willen wieder in die himmlische Jungfrau setzen und unsere Lust darein führen* [108]. Dieser Erkenntniswille begründet seine Philosophie, seine «Freude an der Weisheit».

Von der göttlichen Sophia reden, heißt für Böhme ebensowenig in eine erdferne Geistigkeit entschweben, wie es sein Fragen nach Gott sein kann. Als schauender Denker bleibt er immer konkret, um nicht zu sagen: massiv. Den Inhalt dieses Denkens gibt er am Eingang der *Morgenröte* in der Form einer Imagination an: *Ich vergleiche die ganze Philosophiam, Astrologiam und Theologiam samt ihrer Mutter einem köstlichen Baum, der in einem schönen Lustgarten wächst. Nun gibt die Erde, da der Baum inne stehet, dem Baum immer Saft, davon der Baum seine lebendige Qualität hat. Der Baum aber in sich selbst wächst von dem Saft der Erden und wird groß und breitet sich aus mit seinen Ästen. Nun, gleichwie die Erde mit ihrer Kraft an dem Baum arbeitet, daß derselbe wachse und zunehme, also arbeitet der Baum stets mit seinen Ästen aus ganzem Vermögen, daß er möchte immer viel guter Früchte bringen . . . Nun hat aber der Baum diese Art an sich, daß je größer und älter der Baum wird, je süßere Frucht träget er. In seiner Jugend träget er ein wenig Früchte, denn das macht die rauhe und wilde Art des Erdbodens . . . Und ob er gleich schön blühet, so fallen doch im Gewächse seine Äpfel meistenteils ab, es sei denn Sache, daß er gar in einem guten Acker stehet . . . Wenn aber der Baum alt wird, daß seine Äste verdorren, daß der Saft nicht mehr in die Höhe kann, so wachsen unten um den Stamm viel grüne Zweiglein aus, letztlich auch auf der Wurzel, und verklären den alten Baum, wie er auch ein schönes grünes Zweiglein gewesen ist und nun gar alt worden. Denn die Natur oder der Saft wehret sich bis der Stamm gar dürre wird. Dann wird er abgehauen und im Feuer verbrannt. — Nun merke, was ich mit diesem Gleichnis angedeutet habe. Der Garten dieses Baums bedeutet die Welt. Der Acker die Natur, der Stamm des Baumes die Sterne, die Äste die Elementa, die Früchte, so auf diesem Baume wachsen, bedeuten die Menschen; der Saft in dem Baume bedeutet die klare Gottheit. Nun sind die Menschen aus der Natur, Sternen und Elementen gemacht worden. Gott der Schöpfer aber herrschet in allen, gleichwie der Saft in dem ganzen Baume.* [109]

Wenn Böhme einige Andeutungen macht, die an den Versuch einer allegorischen Ausdeutung dieses «Gleichnisses» denken lassen, so ist doch hinzuzufügen, daß jegliches Allegorisieren, das heißt jede Deutung, die nur von Vergleichspunkt zu Vergleichspunkt eilt, noch am Oberflächlichen bleibt. Das Bild vom Baum, der bezeichnenderweise nicht nur in Momentaufnahme geschildert wird, sondern als Lebensvorgang zwischen Jugend und Alter abrollt, will als eine Ganzheit m e d i t i e r t werden. Anders erschließen sich weder Symbole noch geistige Tatbestände, noch Gestaltungen des Unbewußten, unter welchen Gesichtspunkten man an Erscheinungen herantreten mag, wie sie Böhmes Schriften bieten. Die ungezählten Wiederholungen der Themen, Motive und Wendungen, das spiralförmige Voranschreiten der Bilder und Gedanken sind für Böhmes Denkstil und Diktion ohnehin charakteristisch. Sie verlangen ein meditatives Mitgehen. Anders läßt sich die innewohnende Dynamik seines Schaffens nicht begreifen. In diesem Sinne sind auch die zahlreichen Kupfer gemeint, die die Herausgeber den ersten Böhme-Gesamtausgaben beigefügt haben. Die Abbildungen sind nicht einfach Illustrationen des Textes. Es handelt sich vielmehr um Meditationsbilder. Sie wollen nicht als Momentaufnahmen eines Objekts genommen werden, sondern sie deuten vielfach auf Ausgangspunkt, Stationen und Zielpunkt eines Prozesses hin, der in der Seele des Beschauers in Gang gebracht werden soll. Die Licht-Finsternis-Symbolik, die Polarität von Gut und Böse, das Streben nach Erleuchtung, Umwandlung und Wiedergeburt bestimmen meist die Thematik dieser Bildtafeln. Jedes einzelne derartige Bild ist nach Alfons Rosenbergs Urteil «ein gewaltiger Aufruf zur Wachheit, eine Meditation über den aus der Dunkelheit des Seelenschlafes zur Weisheit erwachten Menschen, der sich als tausendäugiges, d. h. von Licht und Erkenntniskräften durchwirktes Wesen zwischen Erdgebundenheit in der Fülle des Kosmos gestellt, von der Inbrunst Christi, der Morgenröte im Aufgang bestrahlt weiß»[110].

THEOSOPHIE

Wie sollen, wie können wir von Gott denken und reden? Das ist die Frage, die sich Jakob Böhme von Anfang an stellt. Sie läßt ihn lebenslang nicht los, wenngleich die Antworten, die er zu geben hat, verständ-

Titelkupfer zum «Mysterium Magnum» der Ausgabe von 1730

icherweise differieren. Das ist nicht zuletzt in der Eigenart seines Schaffens begründet. Im übrigen war der Görlitzer beweglich genug, sich hie und da stillschweigend zu korrigieren und, indem er immer neue Standpunkte der geistigen Beobachtung einnahm, zu ergänzen.

Wiewohl Fleisch und Blut das göttliche Wesen nicht ergreifen können, sondern der Geist, wenn er von Gott erleuchtet und angezündet wird; so man aber will von Gott reden, was Gott sei, so muß man fleißig erwägen die Kräfte in der Natur, dazu die ganze Schöpfung, Himmel und Erden, sowohl Sternen und Elementen und die Kreaturen, so aus denselben sind herkommen, sowohl auch die heiligen Engel, Teufel und Menschen, auch Himmel und Hölle.[111] Mit diesem Satz hebt Böhmes *Aurora* an. In der Urschrift trägt dies erste Kapitel die Überschrift: *Von Erforschung des göttlichen Wesens in der Natur.*

Unschwer erkennt man, daß dieser einleitende Satz gleich einige große Probleme anrührt, allen voran das Problem der Gotteserkenntnis. Die Grenzen dieser Erkenntnis, so läßt Böhme durchblicken, sind nicht unverrückbar dadurch gesetzt, daß der Mensch in *Fleisch und Blut* verkörpert ist. Im Geiste, nicht in der Ratio, die Böhme *Vernunft* nennt, ist es möglich, *das göttliche Wesen zu ergreifen*, nämlich dann, wenn er selbst von Gott erleuchtet und *angezündet* ist. Hinter diesen Worten steht, wie wir wissen, eine konkrete Erfahrung. Als hätte er immer einen anderen Leser vor sich, so wiederholt Böhme unermüdlich an den verschiedensten Stellen seiner Bücher die Notwendigkeit der Erleuchtung des Geistes bzw. durch den Geist.

Wie aber verhält es sich mit diesem Nebeneinander von Himmel und Erde, Gott und Mensch, Engel und Teufel? – Für Böhme liegt in dieser scheinbar willkürlichen Vermengung des Gegensätzlichsten das «Mysterium Magnum» beschlossen, *denn im Mysterium Magno* – so erläutert er in einer seiner letzten Schriften – *urständet die ewige Natur, und werden im Mysterio Magno allezeit zwei Wesen und Willen verstanden ... Das Mysterium Magnum ist das Chaos, darauf Licht und Finsternis als das Fundament des Himmels und der Höllen von Ewigkeit geflossen und offenbar worden ist.*[112] Damit ist von vornherein einer platten Vernunft-Theologie gewehrt, die meint, direkte Aussagen über Gott von der Art machen zu können, als sei er, der Unbenennbare, mit einem Satz als der Liebende, Gütige, Allwissende, Allmächtige, als das höchste Sein und wie die Gleichsetzungen alle lauten mögen, die im Laufe der Geistesgeschichte – vergebens – zu Hilfe genommen worden sind, um die Geheimniswand des Nichtobjektivierbaren zu durchbrechen. Einerseits vor Hegel, andererseits vor Kierkegaard und Barth entdeckt der aus dem Luthertum kommende Görlitzer Schuster, daß man von Gott – sofern überhaupt – immer nur in zwei einander polar entgegengesetzten Sätzen reden könne, eben in der Weise der Dialektik. Mit dem «Gott der Philosophen», mit dem Pascal abgerechnet hat, will auch Böhme sich nicht befassen, übrigens auch nicht mit dem Gott der Theologen. Ein paar dogmatische Lehrsätze will er nicht mit Antworten verwechseln, die ein so bohrender Frager und Sucher wie Böhme den Doctores und Pastores seiner Zeit stellen mußte. Von dem Gott, den Böhme meint und den er Mal um Mal erfahren hat, geht ein verzehrendes *Feuer-Brennen* aus, das sich als ein *Liebe-Brennen* und als ein *Zorn-Feuer* offenbart. Wovon redet er also?

Dieses Feuer-Brennen ist eine Offenbarung des Lebens und der gött‑ lichen Liebe, dadurch sich die göttliche Liebe als die Einheit überinflam‑ mieret und schärfet zu einer feurischen Wirkung der Kraft Gottes. Diese Grund wird darum Mysterium Magnum genannt oder ein Chaos, da‑ daraus Böses und Gutes urständet als Licht und Finsternis, Leben un‑ Tod, Freude und Leid, Seligkeit und Verdammnis, denn es ist der Grun‑ der Seelen und Engel und aller ewigen Kreaturen, der bösen und gute‑ ein Grund des Himmels und der Höllen und der sichtbaren Welt sam‑ all dem, was da ist, das alles ist in einem einigen Grund gelegen.[113] De Schuster bewegt sich auf einem Feld, auf dem er schwerlich die Rücken‑ deckung durch einen Orthodoxen seiner Zeit bekommen hätte. Welc‑ eine Ketzerei auch, Gut und Böse, Licht und Finsternis in einem Atemzu‑ mit dem Gottesbegriff zu nennen! So meinen die Ängstlichen, die allz‑ Vorsichtigen. Er fährt aber fort und gibt zu erkennen, daß sich sein Denken im Bereich der Ideen, der Urbilder, der Archetypen bewegt, frei‑ lich allzufern der Predigtthemen, die von der Kanzel der Görlitzer Pe‑ terskirche und von manch anderer Kanzel herab zu vernehmen sind Alles ist in einem einigen Grund gelegen, *gleichwie das Bild im Baum‑ ehe es der Künstler ausschnitzet und formieret, da man von der geist‑ lichen Welt doch nicht sagen kann, daß sie habe Anfang genommen, son‑ dern ist von Ewigkeit aus dem Chaos offenbar worden, denn das Licht ha‑ von Ewigkeit in der Finsternis geschienen und die Finsternis hats nich‑ begriffen, gleichwie Tag und Nacht ineinander und doch zwei in einen‑ sind*[114].

Hier entschuldigt sich der Theosoph bei seinem Leser, daß er *als‑ abteilig* schreibt, *als hätte es also einen Anfang genommen, dem gött‑ lichen Grunde göttlicher Offenbarung nachzusinnen, wie man soll Natu‑ und Gottheit unterscheiden . . . wovon Böses und Gutes kommen sei un‑ was das Wesen aller Wesen sei.*

Um was sich Böhme müht, ist klar: Er will die papiernen Götterbilde‑ hinter sich lassen, und damit all das, was mehr oder minder fromm ver‑ brämter Rationalismus und Klerikalismus an Vorstellungen über IHM hervorgebracht haben. Das alttestamentliche Gebot: Du sollst Dir wede‑ Bildnis noch Gleichnis von IHM machen! ist Böhme wie mit flammende‑ Lettern ins Herz gebrannt. Indem er aber forscht und weiterfragt, stöß‑ er auf die Paradoxie von Gut und Böse, von Licht und Finsternis in‑ Gott, eine Paradoxie, die nicht verharmlost, nicht harmonisiert werde‑ kann, sondern deren Dialektik ertragen werden muß. Dies ist Böhme‑ Einsicht. Hier wird er der Dimension der *Tiefe* gewahr, die ihn einst so‑ sehr erschreckt hat, daß er in die schwere Melancholie verfallen, ehe sic‑ ihm *die innerste Geburt der Gottheit* eröffnet.

Schon dies ist für Böhmes Erlebnis- und Denkstruktur kennzeichnend‑ daß er die Metapher der *Tiefe* dort einführt, wo man gewohnterweis‑ den Begriff der Höhe und der Erhabenheit erwartet. Böhme, der al‑ Theosoph der Tiefenpsychologie zu denken aufgibt und zu einer noc‑ viel zu wenig ernst genommenen «Tiefentheologie» Anstöße gebe‑ könnte, zieht einmal eine Verbindungslinie zwischen der Tiefe der Natu‑

und derjenigen im Menschen. *Die ganze Tiefe zwischen Erde und Sternen ist wie ein Gemüte eines Menschen . . . Und die Sonne ist König und das Herze der Tiefe, die leuchtet und wirket in der Tiefe und machet also ein Leben in der Tiefe, gleichwie das Herze im Leibe ist, also ist auch die Sonne in der Tiefe und die sechs Planeten machen die Sinnen und den Verstand in der Tiefe, daß es alles zusammen ist als ein lebendiger Geist.*[115] Damit ist allerdings schon wieder der theosophische Bereich im engeren Sinne des Wortes verlassen. *Tiefe* ist eben wie vieles andere bei Böhme kein eindeutig definierbarer Begriff, sondern Ausdruck einer geistig-seelischen Erfahrung, die gleichzeitig deren Begrenzung beinhaltet; denn Gottes *Tiefe kann keine Kreatur ermessen*[116], weder mit philosophischen Begriffen noch mit theologischen oder dogmatischen Formeln. Nach dieser «Tiefe des Seins» (Paul Tillich!) hat Böhme die Gelehrten vergebens gefragt. Der *tiefe Grund Gottes* ist es, der im Dunkel liegt. Dennoch ist Böhme optimistisch: *Dies wird in der Tiefe in großer Einfalt aufgehen. Warum nicht in der Höhe in der Kunst? Auf daß sich niemand rühmen darf, er habe es getan und des Teufels Hoffart hiemit aufgedeckt und zunichte gemacht werde.*[117] Und als er selber einmal gefragt wird, wie man denn diese Tiefe erkunde, antwortet er unter Berufung auf Paulus: Der Geist erforscht alle Dinge, auch die Tiefen der Gottheit (1. Kor. 2,10). Oder mehr vom Menschen her betrachtet könnte man sagen: Erkenntnis der Tiefe der Gottheit korrespondiert mit der Erkenntnis der Tiefe des eigenen Selbst. Dabei wäre mit dem «Selbst» nicht das kleine *in Fleisch und Blut* verkörperte Erden-Ich des Menschen verstanden, sondern das vom Geist *angezündete* Ich, das – etwa im Sinne Jungs – durch die Individuation herangereifte Ich, das «Selbst».

Nun sollte man sich hüten, die Inhalte von Böhmes Theosophie lediglich unter dem Gesichtspunkt der Projektion innerseelischer Vorgänge zu sehen und deren Wirklichkeitsgehalt, den sie «an sich» haben, zu übersehen. Unschwer ließen sich eine Reihe von Belegen zusammentragen, die unter das Motto des Kirchenvaters Augustinus «Gott und die Seele» zu stellen wären. Jedenfalls kann Böhme von der *heiligen Seele* sprechen, die von gleicher Essenz und Substanz wie die Engel sei. Im Schlußkapitel der *Morgenröte* steht gar das Wort von der Seele im Menschen als dem *Sohn oder kleinen Götterlein in dem großen unermeßlichen Gott*[118]. Deswegen versteigt sich Böhme nicht, selbst wenn er einmal gesteht, nun sei er aber doch zu hoch gestiegen und es schwindle ihm, wenn er zurückblicke. Er bleibt konkret.

So wie der von seiner großen Vision heimgesuchte Schuster «ins Grüne» läuft, um sich der Untrüglichkeit des Geschauten dort zu vergewissern, so weist er den Gottsucher aus den steinernen Tempeln, aus den *Mauerkirchen* und Gelehrtenstuben hinaus, dorthin, wo ER sich finden läßt. Dem einen rät er:

Siehe, du blinder Mensch, ich will dirs zeigen; gehe auf eine Wiese.[119] Dem anderen, der Zweifel hegt: *Tue deine Augen auf und gehe zu einem Baum und siehe den an und besinne dich!* [120] Als Gleichnis dient ihm die paradiesische Welt, die nicht etwa als blasse Abstraktion oder wie ein Katechismus-Wissen in seinem Gedächtnis haftet, sondern eine vielgestaltige, wunderträchtige Welt der Freude und Wonne, in der die Kraft

Friedrich Christoph Oetinger.
Kupferstich von Jacob Andreas Fridrich

Gottes sich bis in die sinnenhafte Wahrnehmbarkeit hinein angreifen,
schmecken, riechen und genießen läßt. Wozu eigentlich in den Büchern
der *Lügen-Skribenten* nachblättern? *Du wirst kein Buch finden, da du
die göttliche Weisheit könntest mehr inne finden zu forschen, als wenn
du auf eine blühende Wiese gehest, da wirst du die wunderliche Kraft
Gottes sehen, riechen und schmecken, wiewohl es nur ein Gleichnis ist
und ist die göttliche Kraft im dritten Prinzipio materialisch worden und
hat sich Gott im Gleichnis offenbaret. Aber dem Suchenden ist's ein
lieber Lehrmeister. Er findet viel allda.*[121]

Was allda zu finden ist, die Polarität der Gegensätze und deren Einheit, hat ein Jahrhundert zuvor Nikolaus von Kues die «coincidentia
oppositorum» genannt. Ein Jahrhundert nach Böhme faßt der schwäbische Theosoph und Theologe Friedrich Christoph Oetinger, ein heimlicher Alchimist und «Magus des Südens», diese theologische Einsicht in
der vielzitierten These von der «Leibwerdung als dem Ende [im Sinne
von Ziel] der Wege und Werke Gottes» zusammen. Bei Goethe schließlich wird aus der Theosophie eine konsequente Schau der Natur, als
«Faust» angesichts des Zeichens des Makrokosmos bekennt:

Wie alles sich zum Ganzen webt,
Eins in dem andern wirkt und lebt,
Wie Himmelskräfte auf- und niedersteigen
Und sich die goldnen Eimer reichen!
Mit segenduftenden Schwingen
Vom Himmel durch die Erde dringen,
Harmonisch all das All durchklingen!

Geist und Materie fallen nicht auseinander; Gott und Natur sind zu einer Einheit zusammengeschlossen, die die mittelalterlichen Alchimisten meinen, wenn sie vom Unus Mundus, der einen Welt, sprachen, eine Einheit, welche die analytische Psychologie und die moderne Physik wiederentdeckt haben. Danach sind Materie und Psyche die beiden aufeinander bezogenen Erscheinungsweisen des «bewußtseinstranszendenten Einheitsaspekts des Seins» (C. G. Jung).

In dem letzten Böhme-Zitat ist das Stichwort vom *dritten Prinzip* gefallen. Damit sind wir auf ein Element der Lehre gestoßen, dem in der Gestalt der *drei Prinzipien* bei Böhme eine Schlüsselbedeutung zukommt. Im Brief an Caspar Lindner schätzt er diesen hermeneutischen Schlüssel so ein: *Mein Buch hat nur drei Blätter, das sind die drei Prinzipia der Weisheit. Darinnen kann ich alles finden, was Moses und die Propheten, sowohl Christus und die Apostel geredet haben. Ich kann der Welt Grund und alle Heimlichkeit darinnen finden. Doch nicht ich, sondern der Geist des Herrn tut es nach dem Maß, wie er will.*[122] Dieser Nachsatz ist nicht zu überlesen. Denn die mittelalterliche Naturphilosophie kannte eine Drei-Prinzipien-Lehre, die einerseits in Anlehnung an das christliche Trinitätsdogma, andererseits bei der Beobachtung des alchimistischen Prozesses gefunden wurde. Bei Paracelsus (z. B. in «Opus Paramirum», «Liber meteororum») wird diese Lehre von den dreien, die alles tun, als das Resultat der «Erfahrnus» entwickelt. Auch der Philosoph und Magus Agrippa von Nettesheim, ein Zeitgenosse des Paracelsus, beschreibt in seinen «Magischen Werken», wie der Magus aus der dreifachen Welt Kräfte schöpfen könne. Sal, Sulphur und Mercurius gelten als die stofflichen Unterlagen der Dreiheit. Zugleich ist an drei unsichtbare und unkörperliche «Kräfte» zu denken.

In der ihm eigenen Weise nimmt Böhme diese Grundanschauungen auf, gestaltet sie aber so, daß sie ihm als Sprachmittel für die Darstellung des Prozesses dienen können, den er in Gottheit, Kosmos und Menschheit abliest. In einem ersten Anlauf gleichsam sucht Böhme in der *Morgenröte* die Bilder seines Schauens in Worte zu kleiden, ein Unterfangen, das immer wieder an die Grenze des sprachlich Mitteilbaren führt und das die oft beklagte Dunkelheit ganzer Passagen mitverursacht. Deshalb auch die Flut immer neuer Bilder und Vergleiche, deshalb die Zuhilfenahme der *Natursprache.* So nennt er eine von ihm entwickelte Art der Worterklärung, die mit der wissenschaftlichen Etymologie nichts gemein hat, sondern bei der die Sprache der Laute, die Weisheit, die in den Vokalen, Konsonanten und in deren Kombination steckt, aufgedeckt werden soll, um die Qualität des mit den Wörtern und Silben Bezeichneten näher zu bestimmen, als dies die konventionelle Wort-

bedeutung zuläßt. Mittels dieser Natursprache sucht Böhme Unaussprechliches aussagbar zu machen.

Bevor nun von der göttlichen Dreifaltigkeit die Rede sein kann, ist da ein *Ungrund* außerhalb aller Natur, auch außerhalb dessen, was in der lehrmäßigen Verkündigung der Kirche zur Sprache kommt. Dieser göttliche Urgrund ist *nichts als eine Stille ohne Wesen. Es hat auch nichts, das etwas gäbe. Es ist eine ewige Ruhe und keine Gleiche, ein Ungrund ohne Anfang und Ende. Es ist auch kein Ziel noch Stätte, auch kein Suchen oder Finden oder etwas, da eine Möglichkeit wäre. Derselbe Urgrund ist gleich einem Auge; denn er ist sein eigener Spiegel. Er hat kein Wesen, auch weder Licht noch Finsternis, und ist vornehmlich eine Magia und hat einen Willen, nach welchem wir nicht trachten noch forschen sollen, denn er turbieret uns. Mit demselben Willen verstehen wir den Grund der Gottheit, welcher keines Ursprungs ist; denn er fasset sich selber in sich, daran wir billig stumm sind; denn er ist außer der Natur.*[123] Demnach gibt es für Böhme ein Erstes-Letztes-Tiefstes, das die Gnostiker des 2. Jahrhunderts, etwa aus der Schule des Valentinos, ebenfalls «Sige» (Schweigen) genannt haben. Wenn Böhme fortfährt und die Trinität in sein Denken einbezieht, dann legt er von Anfang an größten Wert auf die Feststellung, daß keinesfalls von *drei Göttern* die Rede sein dürfe, die je für sich existierten.

Nein, eine solche Substanz und Wesen hat es nicht in Gott, denn das göttliche Wesen stehet in Kraft und nicht im Leibe oder Fleische.[124] *Der Vater ist* für Böhme *der Inbegriff der ganzen göttlichen Kraft, daraus alle Kreaturen worden sind. Der Sohn ist in dem Vater, des Vaters Herze der Licht ... Der Heilige Geist gehet vom Vater und Sohne aus ... also auch ist der Heilige Geist der bewegliche Geist in dem ganzen Vater und gehet von Ewigkeit zu Ewigkeit immer von dem Vater und Sohne aus ... eine webende Kraft ist in dem ganzen Vater.*[125]

Bis daher muten Böhmes Ausführungen wie eine Übernahme des kirchlichen Trinitätsdogmas an. Unverkennbar ist die fortwirkende Dynamik, wenn es im selben Kapitel heißt: *Des Vaters Kraft gebäret den Sohn von Ewigkeit immerdar. So nun der Vater würde aufhören zu gebären, so wäre der Sohn nicht mehr; und so der Sohn nicht mehr in dem Vater leuchtete, so wäre der Vater ein finster Tal.* Das sind freilich recht ungeläufige Vorstellungen. Letztlich wollen sie die göttliche Einheit in der dynamischen Vielheit der innergöttlichen Geburten und andauernden Prozesse andeuten. Qualitäten entfalten und mischen sich. Der höchsten Dreiheit ist – ähnlich wie in der jüdischen Kabbala – eine Siebenheit zugeordnet. *Die sieben Geister sind des Lichtes Vater und das Licht ist ihr Sohn, den sie von Ewigkeit zu Ewigkeit immer also gebären, und das Licht erleuchtet und macht immer und ewig die sieben Geister lebendig und freudenreich, denn sie nehmen alle ihr Aufsteigen und Leben in Kraft des Lichtes.*[126]

Dieser Prozeß in Gott und über die Gottheit hinaus ist an keine Zeit und an keinen Ort gebunden. Dies jenseits der menschlichen Erkenntniskategorien sich Ereignende versucht Böhme *auf göttliche und auch kreatürliche Art* zu beschreiben, *ob ich manchen möchte lüstern machen, den hohen Dingen nachzusinnen*[127], heißt es im zweiten Werk *Beschreibung der drei Prinzipien göttlichen Wesens.* Das besagt doch, daß der Autor nicht nur seinem Mitteilungsbedürfnis nachgibt, sondern daß er das Denken, womöglich das Schauen seiner Leser in Gang bringen will. Er verfolgt, wie im Zusammenhang mit seiner Christosophie zu zeigen sein wird, eine pädagogisch-psychagogische Absicht. Einigermaßen klarer und durchsichtiger, als es in der *Morgenröte* möglich war, wird im zweiten und in den folgenden Werken versucht, die Drei-Prinzipien-Lehre zu erläutern. Philosophische Begriffsbestimmungen darf man auch hier nicht erwarten, *denn ein Prinzipium ist anders nichts als eine neue Geburt, ein neu Leben,* heißt es da.[128] Was Böhme hier und in anderen Schriften weit ausholend darstellt, läßt sich so zusammenfassen:

Basis der dreifachen Welt ist der ewige Wille Gottes. Im e r s t e n P r i n z i p pulsieren Gottes herber Grimm und Zorn. Böhme spricht auch vom *Angst-Feuer,* das am ehesten mit einer hypothetisch reinen Energie verglichen werden könnte, deren eruptive Urgewalt nach «außen» und nach Materialisation drängt. – Im z w e i t e n P r i n z i p gebiert der Vatergott seinen Sohn, in dem die Dynamik des grimmigen Feuers sich in eine Welt des Lichtes und der Liebe verwandelt, ebenfalls noch vor jeglicher Objektivierung oder Verkörperung. – Erst im d r i t t e n

Prinzip erklingt das «Fiat», das schöpferische Werde-Wort Gottes
In ihm stößt der Unbegreifliche in die *Begreiflichkeit* hinein. Was im
Geist des göttlichen Zorns (Vater) *urständet* und in der Liebe (Sohn)
seinen schöpferischen Gegenpol findet, das nimmt im dritten Prinzip
Gestalt an. So kommt ein Prozeß in Gang, der vom An-sich-Sein Gottes
zu dessen Manifestation führt. Der *deus absconditus* (verborgener Gott)
wird zum *deus revelatus* (offenbarer Gott). Schon an dieser Stelle darf
vorwegnehmend gesagt werden: Weil dieselben drei Prinzipien aller
Kreatur zugrunde liegen, deshalb kann an der Schöpfung das Geheimnis
des in ihr sich zeigenden Gottes abgelesen werden. Denn *alles Ding in
dieser Welt ist nach dem Gleichnis dieser Dreiheit geworden*, heißt es
einmal in der *Morgenröte*.

Im Buch *Von der Gnadenwahl* hat Böhme selbst den Versuch unter-
nommen, seine Drei-Prinzipien-Lehre im Gegenüber zur kirchlichen
Trinitätsauffassung darzulegen. Nach der Schilderung des *ersten un-
anfänglichen einigen Willens, welcher weder böse noch gut ist* und *der
das eine ewige Gute gebiert*, schreibt Böhme:

Also (1) heißet der ungründliche Wille «ewiger Vater»;

*(2) und der gefundene, gefassete, geborne Wille des Ungrundes heißet
sein geborner oder «eingeborner Sohn», denn er ist des Ungrundes Ens
darinnen sich der Ungrund in Grund fasset.*

*(3) Und der Ausgang des ungründlichen Willens, durch den gefasse-
ten Sohn oder Ens, heißet «Geist», denn er führet das gefaßte Ens aus
sich aus in ein Weben oder Leben des Willens, als ein Leben des Vaters
und des Sohnes*

*(4) und das Ausgegangene ist die Lust, als das Gefundene des ewigen
Nichts, da sich der Vater, Sohn und Geist innen siehet und findet, und
heißet «Gottes Weisheit» (Sophia) oder Beschaulichkeit.*[129]

Erstaunlich an dieser Zusammenfassung ist dies, daß Böhme darin das
dreifaltige Wesen in seiner Geburt zu erblicken meint. Da er aber im
Text die himmlische Sophia ausdrücklich als vierte Wesenheit der Trinität zuordnet, erhebt sich die Frage: Redet Böhme hier nicht tatsächlich
von einer Quaternität (Vierheit) statt einer Trinität, wie er es zu tun
behauptet? Man könnte ihm hier wie an manchen anderen Stellen den
Vorwurf der Mißverständlichkeit oder der Unexaktheit machen. Das ist
oft geschehen. Gregor Richter war nicht der letzte, der ihm die von seinem Standort her überaus ketzerische Quaternität angekreidet hat. An
der angeführten Stelle bezeichnet er die himmlische Sophia als den *Spiegel seiner Weisheit* oder auch Gottes *ausgehauchte Kraft*. Das Geheimnis
der Dreifaltigkeit soll dadurch nicht angetastet werden. In der *Schutzrede wider Gregor Richter* legt Böhme, der sich der Tragweite des Vor-
wurfs bewußt ist, ein förmliches Glaubensbekenntnis ab: *Ich bekenne
einen ewigen Gott, der da ist das ewige, unanfängliche, einige, gute
Wesen, das da außer aller Natur und Kreatur in sich selber wohnet und*

«De Electione Gratiae, von der Gnaden-Wahl oder
Von dem Willen Gottes über die Menschen», 1623.
Titelkupfer aus der Ausgabe von 1730

84

keines Orts noch Raumes bedarf, auch keiner Meßlichkeit, viel weniger einigem Begriff der Natur und Kreatur unterworfen ist. Und bekenne, daß dieser einige Gott dreifaltig in Personen sei, in gleicher Allmacht und Kraft, als Vater, Sohn und Heiliger Geist. Und bekenne, daß dieses dreieinige Wesen auf einmal zugleich alle Ding erfülle und auch aller Dinge Grund und Anfang sei gewesen und noch sei, auch ewig bleibe.

Um nicht wieder mißverstanden zu werden, verzichtet er darauf, dem orthodoxen Theologen gegenüber von der himmlischen Sophia zu reden. Er fährt jedoch fort, indem er das nennt, was inhaltlich das Wesen dieser Sophia bestimmt und worauf er als «Philosoph» sein besonderes Augenmerk richtet: *Mehr glaube und bekenne ich, daß die ewige Kraft als das göttliche Hauchen oder Sprechen sei ausgeflossen und sichtbar worden. In welchem ausgeflossenen Worte der innere Himmel und die sichtbare Welt stehet, samt allem kreatürlichen Wesen, daß Gott habe alle Dinge durch sein Wort gemachet.*[130] Als Schriftbeweis führt Böhme den Prolog des Johannes-Evangeliums an: «Im Urbeginn war das Wort und das Wort war bei Gott . . . alle Dinge sind durch dasselbe gemacht und ohne dasselbe ist nichts gemacht von dem, das gemacht ist.» – Diese Logos-(Wort)Struktur allen Seins meint also Böhme, wenn er von der Sophia redet.

Warum bedient er sich dann eigentlich der Figur der Sophia, wenn man auch den griechisch-neutestamentlichen Logos-Begriff dafür einsetzen kann? Diese Frage, die hier nur im Vorübergehen kurz berührt werden kann, lenkt auf ein interessantes Kapitel der Religions- und Geistesgeschichte, zu dem Jakob Böhme einen bemerkenswerten Beitrag geliefert hat, vor allem in anthropologischer Hinsicht. In unserem Zusammenhang handelt es sich um den universellen Archetypus der männlich-weiblichen Ganzheit in der Gottesvorstellung der Völker. Was bei einer Reihe von Religionen eine Selbstverständlichkeit ist, nämlich daß Götter und Göttinnen zusammenwirken, daß geistige Wesen zu Syzygien vereinigt sind oder im vornherein als androgyn bezeichnet werden, haben Judentum und Christentum in ihrer jeweils orthodoxen, jedoch nicht in ihrer mystischen bzw. esoterischen Ausprägung das weibliche Element ihrem Gottesbild prinzipiell fernzuhalten gewußt. Bei Böhme taucht das Sophien-Element beinahe unvermittelt auf, sähe man von den zeitgenössischen Kabbalisten oder vom Mysterium coniunctionis der Alchimisten ganz ab. Deren Gedanken und Symbole aber muß der Schuster gekannt haben. Daß sein Schauen deswegen nicht von den Wissenden seiner Zeit abhängig war, bedarf keiner besonderen Betonung. Zu erinnern wäre auch an die Visionen des schweizerischen Mystikers Nikolaus von der Flüe (15. Jahrhundert), der die Gottheit einmal im Bild eines königlichen Vaters, ein anderes Mal in dem einer königlichen Mutter gesehen hat.[131] Man wird nicht fehlgehen, wenn man Böhme in die Reihe derer stellt, die schauend an das Geheimnis der androgynen Ganzheit herangeführt worden sind.

Noch unter einem anderen Gesichtspunkt wird man das Rätsel von Trinität und Quaternität bei Jakob Böhme sehen müssen. Sein anschauendes, einen voranschreitenden Prozeß beobachtendes Denken hat den Schuster zu seiner Mehrdeutigkeit geradezu genötigt. Wer von ihm ein-

Allegorie der Kabbala. Aus: Knorr von Rosenroth,
Kabbala Denudata. Sulzbach 1677

deutige Begriffe philosophischer oder dogmatisch-theologischer Ausprägung verlangt, wird daher enttäuscht. Den einen ist er daher dunkel oder verworren, den anderen ein gefährlicher Ketzer. In dieses Zwielicht mußte er sich stellen. Seine Thematik verlangte eine Beweglichkeit des Denkens, wie sie der naturforschende Goethe geübt hat. Böhme verwirrt eigentlich nur so lange, als man von ihm jene begriffliche Eindeutigkeit verlangt, die wohl im anorganischen Bereich, in Mathematik und Technik unersetzlich ist, die aber letztlich nicht ausreicht, um das Organische, Psychische, Spirituelle zu erfassen. Im übrigen riet er seinen Freunden und Kritikern:

Laß dich auch nicht irren diese Feder oder Hand der Feder. Der Höch-

ste hat sie also geschnitzet und seinen Odem dareingeblasen, deshalben wir ein solches wohl wissen, sehen und erkennen und nicht aus Wahn von anderer Hand oder durch astralische Einfälle, als wir beschuldigt werden. Uns ist eine Pforte in Ternario Sancto (in die Heilige Dreifaltigkeit) *aufgetan zu sehen und zu wissen, was der Herr zu dieser Zeit in den Menschen wissen will, auf daß der Streit ein Ende nehme, daß man nicht mehr um Gott zanke. Darum so offenbaret er sich selber. Und das soll uns kein Wunder sein, sondern wir sollen selber dasselbe Wunder sein, das er mit Erfüllung der Zeit geboren hat, so wir uns erkennen, was wir sind.*[132] Damit bringt Böhme abermals zum Ausdruck, daß seine inmitten der Natur gewonnene Gotteserkenntnis im letzten auf die Erkenntnis des Menschen verweist.

KOSMOSOPHIE

Diese ganze Welt ist ein großes Wunder, und wäre von den Engeln nie erkannt worden in der Weisheit Gottes. Darum bewegete sich des Vaters Natur zur Schöpfung des Wesens, daß die großen Wunder offenbar würden. Und dann werden sie in Ewigkeit von Engeln und Menschen erkannt werden, was er alles in seinem Vermögen gehabt.[133]

Wie beinahe jede «philosophische» Aussage Böhmes, so ist auch dieser Abschnitt aus dem Buch *Vom dreifachen Leben des Menschen* (1621) voller Wechselbezüge und Querverbindungen. Wer, wie der Görlitzer Schuster, angesichts eines «jovialisch» schimmernden Zinngefäßes einen Blick in das vorweltliche «Chaos» geworfen, darin die letzte, alles umgreifende Einheit der Gegensätze erblickt hat, der kann hinfort sich nicht mehr auf eine ausschließliche Detailbetrachtung reduzieren. Nichts ist ihm fremder als das Spezialistentum der einen oder anderen Fachrichtung. Der Universalismus der Anschauung ist Jakob Böhmes Lebens- und Erkenntniselement. Selbst das Kleinste, scheinbar Entlegenste steht in der Beziehung zu dem Einen. Für ihn gibt es daher letztlich nur ein einziges Mysterium Magnum, oder wie er an dieser Stelle sagt: *Die Welt ist ein* einziges *großes Wunder.* Darin liegt ein Bekenntnis. Es ist ein Erfahrungssatz, der keines Beweises fähig, aber auch keines Beweises bedürftig ist. Diese Einheit darf Böhme nun nicht preisgeben, weder in seiner Gottes- noch in seiner Weltweisheit, obwohl sich die Einheit jeweils in einer Dreifaltigkeit (aber nicht in drei Personen!) offenbart und obwohl diese Einheit die mannigfaltigste Gliederung und prozessuale Stufenfolge der Gebärung kennt.

Der Satz aus dem Böhme-Buch *Vom dreifachen Leben* ist aber auch insofern typisch für die Schau seines Autors, daß von einer Kosmosophie eben nur gesprochen werden kann, indem Gott und Mensch, Gottesweisheit und Weisheit vom Menschen zum Zuge kommen: *Darum bewegete sich des Vaters Natur zur Schöpfung des Wesens, daß die großen Wunder offenbar würden.* Dies ist der eine Aspekt: Schöpfung, die aus der Hand des Vatergottes kommt und zur Offenbarung drängt. Der verborgene Gott wird in dem Maße zum offenbaren Gott, insoweit er als Schöpfer tätig ist, ferner insoweit er sich dem Menschen zuwendet und selbst

«Vom dreifachen Leben».
Titelkupfer der Ausgabe von 1730

Mensch wird. – Der andere Gesichtspunkt gehört in der Betrachtung Böhmes unbedingt hinzu: *Dann werden* die Wunder der Natur *in Ewigkeit von Engeln und Menschen erkannt werden, was es alles in seinem Vermögen hat gehabt.* Das besagt doch, daß der Mensch, ähnlich wie die reinen, unverkörperten Geist-Kreaturen, die Engel, geradezu ein Erkenntnisorgan der Gottheit darstellt, das dazu dient, diese Schöpfung und in ihr den Schöpfer zu erkennen. Von diesem Prozeß ist der Christus, den Böhme oftmals *das Herz Gottes* nennt, ebensowenig auszunehmen wie die *ewige Jungfrau Sophia.* Böhme fährt fort: *Und die Bildnis der Dreizahl als die ewige Jungfrau, welche stund im Ternario Sancto* (Heilige Dreifaltigkeit), *in der Weisheit, in der Wesenheit als eine Figur, wäre von den Engeln in Ewigkeit nie erkannt worden, wenn nicht das*

Herze Gottes wäre Mensch geworden. Da sahen die Engel den Glanz der Majestät in einer lebendigen Bildnis, darein die ganze heilige Dreizahl war beschlossen.[134]

Die drei Prinzipien, die auf höchster Seinsebene mit der göttlichen Trinität korrespondieren, begegnen Böhme in der äußeren Natur, in allem Geschaffenen, denn *diese äußere vierelementische Welt mit dem Gestirne ist eine Figur der innerlichen Kräfte der geistlichen Welt.* Durch die Dynamik des Schöpfergottes sind ihr die Kräfte der Eigendynamik einverleibt worden. Die sieben Eigenschaften der ewigen Natur spiegeln die drei Prinzipien wider bzw. stellen deren Verkörperung in der *Begreiflichkeit* dar. *Diese äußere Welt ist als ein Rauch oder Brodem vom Geistfeuer und vom Geistwasser, beides aus der heiligen und dann auch aus der finstern Welt ausgehauchet worden. Darum ist sie bös und gut und stehet in Lieb und Zorn und ist nur als ein Rauch oder Nebel gegen und vor der geistlichen Welt, und hat sich mit ihren Eigenschaften wieder in Formen der Kräfte zu einer Gebärerin eingeführet, wie an Sternen, Elementen und Kreaturen, sowohl an wachsenden Bäumen und Kräutern zu sehen ist. Sie macht in sich mit ihrer Geburt ein ander Prinzipium oder Anfang, denn der Zeit Gebärerin ist ein Modell der ewigen Gebärerin, und stehet die Zeit in der Ewigkeit.*[135] Dies Wort von der Zeit in der Ewigkeit, das hier zunächst naturphilosophisch gemeint ist und für Böhme erkenntnistheoretische Bedeutung gewinnt, ist dem frommen Schuster zu einem Leitmotiv geworden, das seinen Erdenwandel in der Christus-Nachfolge bestimmt hat. Es ist damit eines der Schlüsselworte, die zeigen, wie bei ihm Erkennen und Leben zusammengehören. In der Natur wie in der Menschenwelt spielt sich sodann in einer anschaulichen und miterlebbaren Weise jenes Ringen zwischen den Kräften von Liebe und Zorn ab. Diese Erde ist also das Spannungsfeld zwischen den Polen Gut und Böse, zwischen Licht und Finsternis, die als Wirkformen «der Gottheit lebendiges Kleid» weben. Hier quellen die Naturkräfte. Ihrem sichtbaren Wesen sind die Wirkungen eines Unsichtbaren, Schöpferischen abzulesen. Gott könne man nicht anders denken, *als daß er der inwendigste Grund aller Wesen sei, und doch also, daß er von keinem Dinge mag ergriffen werden aus des Dinges eigener Gewalt* [136]. Die sichtbare Welt ist im Sinne von Johannes-Evangelium Kapitel 1 *das ausgesprochene geformte Wort*, und zwar nach Gottes Liebe und Zorn.

Einem doppelten Mißverständnis muß Böhme zu wehren suchen: einmal dem Dualismus der Manichäer, der Gnostiker und allen voran dem der persischen Götterzweiheit: *Denn der heiligen Welt Gott und der finsteren Welt Gott sind nicht zween Götter. Es ist ein einiger Gott. Er ist selber alles Wesen . . .*[137] Dieser eine ist der alles Umgreifende. Auf der anderen Seite muß Böhme dem pantheistischen Mißverständnis begegnen. Spinozas «Deus sive natura» (Gott sei gleich der Natur) hätte Böhme nicht anerkennen können. Worauf Böhme besonderen Wert legt, ist die Feststellung, daß alles aus einer Wurzel erwachse und gleichsam verdichteter Hauch des *ausgesprochenen Wortes* sei. *Nun können wir aber nicht sagen, daß die äußere Welt Gott sei oder das sprechende Wort.*[138] An der Unterscheidung zwischen dem sprechenden und dem gesprochenen Wort hält Böhme fest. Wie sonst könnte Böhme schon in

der *Morgenröte* von der *Gottheit in der äußeren Geburt sprechen, die die*
Wurfschaufel in der Hand hat und wird einmal die Spreue und den ange-
zündeten Salitter auf einen Haufen werfen und seine innerliche Geburt
davon entziehen und solches dem Herrn Luzifer und seinem Anhange zu
einem ewigen Hause geben. Unterdessen muß Herr Luzifer in der äußer-
sten Geburt, in der Natur dieser Welt im angezündeten Zorn-Feuer ge-
fangen liegen.[139]

In diesem Text spielt Böhme auf einen wichtigen Abschnitt seiner
theosophisch-kosmosophischen Vorstellungen an. Es ist die Rede von
dem tragischen Fall, dem Fall Luzifers als des gottnahen Lichtträgers.
Denn obgleich aus der Schöpferhand hervorgegangen, ist die terra lucida
(die lichte Erde) nicht mehr in ihrem Urstande. Das harmonische Spiel
der Naturgeister ist empfindlich gestört. Die ursprüngliche Paradieses-
Erde besteht nicht mehr. *Die äußerliche Erde ist ein bitterer Gestank und*
ist tot. Was ist geschehen? – *Herr Luzifer hat in seiner Erhebung die*
Kräfte der unreinen Natur also brennend, bitter, kalt, herbe, sauer, fin-
ster und unrein gemacht.[140] Dadurch wurden auch die «Quellgeister»
infiziert. Der ganze Kosmos ist in Mitleidenschaft gezogen. Dieser Fall
Luzifers, den Böhme tief beklagt, ist nicht mit menschlich-moralischen
Maßstäben zu messen. Er muß sich v o r dem «Sündenfall» ereignet
haben, somit auch dessen Voraussetzung sein. Es handelt sich eher um
eine den ganzen Kosmos erschütternde Katastrophe. Die Einsicht in die

Tragik dieses Vorgangs, durch den die paradiesische Erde in ein *Trauer-* *haus des Todes* verwandelt worden ist, muß Böhmes *harte Melancholi* mitverursacht haben. *Wenn alle Bäume Schreiber wären und alle Äst Schreibfedern und alle Berge Bücher und alle Wasser Tinten, so könnter sie den Jammer und Elend nicht genugsam beschreiben, den Luzifer mi seinen Engeln in seinen Locum bracht hat. Denn er hat aus dem Hause de: Lichts ein Haus der Finsternis gemacht und aus dem Hause der Freuder ein Trauerhaus . . .*[141] Auf dieser kosmischen Tatsache basiert für Böhme der nachfolgende Sündenfall. *Der arme Mensch ist nicht aus seinem vor- gesetzten Willen gefallen, sondern durch des Teufels infiziertes Gift.*

Gibt es eine Hoffnung? Es ist bezeichnend für Böhmes Denken, daß e: so etwas wie einen Heils-Individualismus nicht kennt, dem es nur um die Rettung der einzelnen Seele zu tun ist. Da diese Schöpfung *ausge- sprochenes Wort* Gottes ist, mag ihre Ursprungsgestalt zwar korrum- piert, verfinstert und erstorben sein — vernichtet ist sie nicht. Wo Tod ist da gibt es Auferstehung, und das heißt für Böhme immer auch leibhafte Erneuerung in universalen Dimensionen: *Denn die Erde wird wiede lebendig werden, sintemal sie die Gottheit in Christo hat wieder neuge- boren durch sein Fleisch und zur Rechten Gottes erhöhet.*[142] In dieser weitgespannten Rahmen zwischen Erschaffung durch die Aushauchung des Wortes und der Heimbringung der Erde zu ihrem lichten Ursprungs- zustand gehört all das, was Böhme über den Kosmos zu sagen hat.

Grundbestand der mittelalterlichen Naturphilosophie und der Weis- heit, die sich auf Thot-Hermes bzw. auf den Hermes Trismegistos (der dreimalgroßen Hermes) zurückführt, war die Lehre von den Entspre- chungen. Einer Legende zufolge grub Thot-Hermes in einen Smaragc das Geheimnis von Himmel und Erde ein. In der Formulierung der Rosenkreuzer lautet der maßgebliche Grundsatz dieser «Tabula Smarag- dina»: «Wahrhaftig ohne Lügen gewiß und auf das allerwahrhaftigste dies, so Unten, ist gleich dem Oberen, und dies, so Oben, ist gleich dem Untern, damit man kann erlangen und verrichter Wunderdinge eines einzigen Dinges.» Böhme, der zugibt, *vieler Meister Schriften* gelesen zu haben, wußte wohl: *Wenn wir wollen die Schöp- fung recht betrachten, so bedürfen wir nichts mehr dazu als ein göttlich Licht und Anschauen. Sie ist gar wohl zu erforschen, dem erleuchtenden Gemüte gar leicht.*[143] Böhme kannte auch das hermetische Gesetz: *Was das Untere ist, das ist auch das Obere, und was ich in der Erden in der Kompaktion finde, das ist auch das Gestirne und gehöret zusammen wie Leib und Seele. Das Gestirne bedeutet den Geist und die Erde den Leib. Es ist vor der Schöpfung in der ewigen Gebärung alles untereinander gewesen . . . als ein kräftiges ringendes Liebe-Spiel ohn solch materia- lisch Wesen.*[144] Wie nun *in jedem Ding ein Ewiges in der Zeit verborgen* ist, so läßt sich umgekehrt an den Erscheinungen dieser Welt ablesen, welche Kräfte in ihnen pulsieren. Das *gesprochene Wort* der Naturphä- nomene legt Zeugnis ab von dem *sprechenden* oder *aushauchenden Wort* des Schöpfers. Für Böhme besteht die Aufgabe darin, dieses kon- krete Wort, das zu allen Sinnen spricht, zu vernehmen und anderen ver- nehmbar zu machen. Ein ethisches Moment ist darin mitenthalten; denn nach diesem Wort ist das Verhalten des Menschen einzurichten.

Vom Geld ist die Rede, von wem noch?

«Schon von der ersten Nachricht an . . .

. . . war mein Herz in diesen Streit verwickelt.» So schrieb der Mann, von dem hier die Rede ist, in seinen Memoiren. Er ließ es aber nicht, wie viele andere seiner Zeit, beim ideellen Engagement bewenden, er wollte aktiv mitkämpfen. Freunde und Politiker rieten ihm ab und warnten ihn, er aber ließ sich nicht abhalten. Als gar der König ihm verbat, das Land zu verlassen, schiffte er sich heimlich ein, um an der Seite derer zu kämpfen, die er verehrte. Aber das Schiff wurde in Bordeaux auf Veranlassung des britischen Botschafters geschnappt, unser Mann kam in Haft. Verkleidet gelang ihm die Flucht, und über Spanien gelangte er schließlich doch noch dorthin, wohin er wollte.

Er war damals erst 19 Jahre alt und sprach nur ein paar Brocken der Sprache jenes Landes, für dessen Freiheit er nun als General kämpfen wollte. Dazu sollten ihm sein Name und sein Vermögen verhelfen, das er als 13jähriger Waise (sein Vater war in Minden gefallen) geerbt hatte. Sein Eingreifen in den Krieg war tatsächlich von entscheidender Bedeutung. Als er 47 Jahre später dieses Land wieder besuchte, wurde er wie ein Volksheld gefeiert und mit fast einer Million Mark sowie sechs Quadratmeilen Land beschenkt. Zu dieser Zeit war er aber auch in seiner Heimat zur populärsten Figur geworden, zum «Helden zweier Welten». Man jubelte ihm zu, wenn er auf einem Schimmel durch Paris sprengte, eine blauweißrote Schärpe um den Leib. Die Farben hatte er einst selbst ausgewählt: das Blau-Rot der Stadtfarben von Paris und das Weiß der bourbonischen Lilie – so hatte er die Trikolore geschaffen. Aber vom politischen Helden zum Verräter ist der Schritt oft klein: Marie Joseph Paul Yves Roch Gilbert (so seine Vornamen) mußte einmal außer Landes fliehen und verbrachte fünf Jahre in preußischen und österreichischen Gefängnissen. Der «ewig überschätzte, ewig sich überschätzende, mythische alte Mann» (so ein Historiker) starb im Alter von 77 Jahren in Paris. Von wem war die Rede?

(Alphabetische Lösung: 12–1–6–1–25–5–20–20–5)

Ob zwar die Vernunft nur schreiet: Schrift und Buchstaben her! so ist doch der äußere Buchstabe allein nicht genug zu der Erkenntnis, wiewohl er der Anleiter des Grundes ist. Es muß auch der lebendige Buchstabe, welcher Gottes selbstständiges ausgesprochenes Wort und Wesen ist, in der Leiterin des ausgesprochenen Wortes im Menschen selber eröffnet und gelesen werden, in welchem der Heilige Geist der Leser und Offenbarer selber ist.[145] Hier haben wir es mit einem wichtigen Element von Böhmes Hermeneutik zu tun, von der Lehre, die eine Brücke zwischen Buchstabe und Geist, zwischen Schrift und Realität schlagen soll. Wie man sieht, ist «Lesen» für den gleichwohl nicht unbelesenen Schuster eine nur literarische Angelegenheit. Alles Reden Gottes hat in der Schöpfung deutlich ablesbare Spuren hinterlassen. Es sind die «Signaturen», Merkzeichen, durch die sich die Geschöpfe auf Grund ihrer Wortstruktur zu erkennen geben. Lesen ist insofern ein «anagignoskein», ein «Herauf-Erkennen». Kennt man die Signaturen und achtet man auf sie, dann bleibt der Kosmos nicht länger stumm. Da sich Böhme hinsichtlich der Notwendigkeit klar ist, daß seine Mitwelt eine Erkenntnishilfe braucht und *die Zeit der Eröffnung aller Heimlichkeiten nahet und anbricht*, hat er abermals zur Feder gegriffen, um Aufschluß *Von der Geburt und Bezeichnung aller Wesen* (1622) zu geben. Das Buch, das Will-Erich Peuckert zu den schwierigsten der Werke Böhmes rechnet, ist unter dem Titel *De signatura rerum* bekanntgeworden.

Böhme achtet auf bestmögliche Unterscheidung. Diese Signaturen sind *noch nicht das göttliche Wort bzw. der Geist, sondern nur Behälter oder Kasten des Geistes, darinnen er lieget; denn die Signatur stehet in der Essenz und ist gleichwie eine Laute, die da stille stehet, die ist ja stumm und unverstanden. So man aber darauf schläget, so verstehet man die Gestaltnis, in was Form und Zubereitung sie stehet und nach welcher Stimme sie gezogen ist. Also ist auch die Bezeichnung der Natur in ihrer Gestaltnis ein stumm Wesen. Sie ist wie ein zugericht Lautenspiel, auf welchem der Willen-Geist schläget. Welche Seiten er trifft, die klinget nach ihrer Eigenschaft.*[146] Der Erkenntniswille des Menschen ist es, der die Runen zu lesen vermag. Er ist gleichsam darauf angelegt, die Sprache der Signaturen zu entschlüsseln: *Im menschlichen Gemüte lieget die Signatur ganz künstlich zugerichtet nach dem Wesen aller Wesen.*[147] Böhme anerkennt keine grundsätzliche Erkenntnisbarriere. Er weiß von keinem unzugänglichen «Ding an sich». Als Glied der einen Welt, er nennt es *Aushauch des göttlichen Wortes*, ist der Mensch gleichsam von Natur aus fähig, die Rätsel der Welt zu durchschauen. Eine Voraussetzung macht Böhme freilich: Nur der Erleuchtete schaut ins *Zentrum der Natur*. Die Naturgabe muß erst erweckt werden.

Wie aber offenbart sich das Zentrum der Natur, jenes «Innre der Natur» (Goethe), jener «Weltinnenraum» (Rilke), von dem die Dichter und Weisen aller Zeiten wissen? Im Zusammenhang mit der Signaturenlehre, die sein ganzes Werk durchzieht, gibt Böhme Auskunft über seine *Natursprache*, «ein bis heute weithin verkanntes und mißverstandenes Kernstück seiner Lehre», bemerkt Ferdinand Weinhandl[148]. Böhmes Vergleich der Signaturen mit einer Laute erfolgt nicht wahllos. Gleich im ersten Kapitel von *De signatura rerum* findet sich die grundlegende Ein-

sicht: *Mit dem Hall oder Sprache zeichnet sich die Gestalt in eines ande-*
ren Gestaltnis ein ... im Hall zeichnet der Geist seine eigene Gestaltnis ...
Das Innere offenbaret sich im Halle des Wortes. Weil kein Bestandteil der
Natur existiert, der nicht *seine innere Gestalt auch äußerlich* offenbart
und weil Inneres stetig an seiner Manifestation im Äußeren arbeitet,
deshalb besteht die Möglichkeit auch im gesprochenen Wort, dem Nach-
hall des Urwortes, Wirklichkeit zu beschwören. Dies ist, ähnlich wie das
vollmächtige Wort des Dichters, etwas qualitativ anderes als eine bloße
Beschreibung eines äußeren Gegenstandes. In den Silben und Lautkom-
binationen spricht sich selbst etwas Qualitatives aus, das «mehr» über
das Bezeichnete aussagt als der buchstäbliche Sinn, mehr als die konventionelle Wortbedeutung, *denn die Natur hat jedem Dinge seine Sprache*
nach seiner Essenz und Gestaltnis gegeben; denn aus der Essenz urstän-
det die Sprache oder der Hall. Und derselben Essenz Fiat («Es werde...»)
formet die Essenz Qualität in dem ausgehenden Hall oder Kraft ... Ein
jedes Ding hat seinen Mund zur Offenbarung. Und das ist die Natur-
sprache, daraus jedes Ding aus seiner Eigenschaft redet und sich immer
selber offenbaret.[149] Unter Zugrundelegung der drei Prinzipien entwik-
kelt Böhme seine Lautphysiognomie. Sie ergibt sich nicht bereits aus den
24 Buchstaben, sondern aus dreimal 24 Buchstaben, je nachdem, welches
Prinzip jeweils zum Erklingen kommt.

Böhmes Natursprache fällt demnach nicht mehr in den Zuständigkeits-
bereich des Philologen, der unter anderem an der sprachgeschichtlichen
Herkunft und am Bedeutungswandel eines Wortes interessiert ist. Man
kann die Natursprache aber auch nicht als eine vorwissenschaftliche Spie-
lerei abtun, so schwierig es im einzelnen ist, vom heutigen Sprachver-
ständnis her eine Brücke zu Böhmes Logosophie zu schlagen, die man
mit Gustav René Hocke eine «Sprachalchimie» nennen könnte. Ein Beispiel aus der *Morgenröte:* Da ist das Wort «barmherzig» als Attribut
Gottes. In diesem Wort sieht Böhme gemäß der Drei-Prinzipien-Lehre
Gottes Qualitäten ausgedrückt, die süße Qualität in der herben, saueren
und bitteren: *Wenn du sprichst «barm-», so figurieren die zwei Quali-*
täten herb und bitter das Wort «barm-» gar langsam zusammen; denn
es ist eine lange, ohnmächtige Silbe von wegen der Qualitäten Schwach-
heit. Wenn du aber sprichst «herz-», so fähret der Geist in dem Wort
«Herz» geschwind wie ein Blitz heraus und gibt des Wortes Unterschied
und Verstand. Wenn du aber sprichst «-ig», so fängest du den Geist mit-
ten in den andern zwei Qualitäten, daß er muß drin bleiben und das
Wort formieren. Also ist die göttliche Kraft: die herbe und bittere Quali-
tät sind der Saliter (Grundkraft) *der göttlichen Allmacht; die süße Qua-*
lität ist der Kern der Barmherzigkeit, nach welcher das ganze Wesen mit
allen Kräften «Gott» heißt. Die Hitze ist der Kern des Geistes, aus wel-
cher das Licht fähret und zündet sich in der Mitten in der süßen Qualität
an und wird von der herben und bittern gefangen als in der Mitte. Dar-
innen wird der Sohn Gottes geboren. Und das ist das rechte Herze Got-
tes.[150] Auf eine ähnliche Weise hat Böhme zahlreiche Begriffe und Per-
sonennamen zu entschlüsseln versucht. Immer spricht sich das Prozeß-
hafte und das Elementar-Naturhafte aus. Durch die drei Prinzipien ist
Göttliches, Kosmisches, Menschliches miteinander verbunden.

*«De signatura rerum,
oder Von der Geburt und Bezeichnung aller Wesen»,
1622. Titelkupfer der Ausgabe von 1730*

Böhme wußte, daß er mit der Natursprache eigentlich keine Antwort auf rationale Fragen gab, sondern eher neue Rätsel verursachte. Selbst wenn er sich lateinischer Termini bediente – des Lateinischen war er nicht mächtig –, lauschte er den Silben ihr Lautgeheimnis ab: *Mein Sinn ruhet in Wahrheit nicht bloß in der lateinischen Zungen, sondern vielmehr in der Natursprache*, schreibt er einmal einem etwas ratlosen Freund.[151] Am liebsten ist ihm die Muttersprache, die die Gelehrten zu Böhmes Zeit noch nicht für geschmeidig und klar genug hielten, um sich ihrer statt der Sprache der Wissenschaften zu bedienen. *Verstehe nur deine Muttersprache recht, Du hast so tiefen Grund darinnen als in der hebräischen und lateinischen, ob sich gleich die Gelehrten darinnen erheben wie eine stolze Braut. Es kümmert nichts, ihre Kunst ist jetzt auf der Bodenneige. Der Geist zeiget, daß noch vorm Ende mancher Laie wird mehr wissen und verstehen als jetzt die klügesten Doctores wissen; denn die Tür des Himmels tut sich auf.*[152]

ANTHROPOSOPHIE

«Anfang der Vollendung ist die Erkenntnis des Menschen; Gotteserkenntnis ist die vollständig erreichte Vollendung»[153], heißt es einmal bei dem Kirchenschriftsteller Hippolyt von Rom im 2. Jahrhundert. Und wenn man einen Gnostiker jener Zeit fragte, worin die Weisheit vom Menschen bestehe, dann konnte er mit Klemens von Alexandria antworten: Sie besteht in der Erkenntnis «wer wir sind und was wir geworden sind; woher wir stammen und wohin wir geraten; wohin wir eilen und wovon wir erlöst sind; was es mit unserer Geburt, was es mit unserer Wiedergeburt auf sich hat»[154].

Schlägt man Böhmes zweite Hauptschrift, die *Beschreibung der drei Prinzipien göttlichen Wesens*, auf, dann begegnet einem gleich in der Vorrede ein Text von verblüffender Ähnlichkeit. Das Buch beginnt: *Es kann sich ein Mensch von Mutterleibe an im ganzen Laufe seiner Zeit in dieser Welt nichts fürnehmen, das ihm nützlicher und nötiger sei als dieses, daß er sich selbst recht lerne erkennen, (1) was er sei, (2) woraus oder vom wem? (3) wozu er geschaffen worden und (4) was sein Amt sei?* Das heißt: Was sind Sinn und Ziel der menschlichen Existenz? – Wieder sind es elementare Erkenntnisfragen, die Jakob Böhme beschäftigen. Der Schuster zögert nicht, in weit ausholender Weise darauf zu antworten: *In solcher ernstlichen Betrachtung wird er* (der Mensch) *anfänglich (1) befinden, wie er samt allen Geschöpfen, die da sind, alles von Gott herkomme. Wird auch in allen Geschöpfen finden, (2) wie er die alleredelste Kreatur unter allen Geschöpfen sei. Daraus er dann wohl kann befinden, (3) wie Gott gegen ihn gesinnet sei, dieweil er ihn zum Herrn über alle Kreaturen dieser Welt gemacht ... Ja noch mehr höhere und größere Erkenntnis hat ihm Gott gegeben, daß er kann allen Dingen ins Herze sehen, was Essenz Kraft und Eigenschaft sie haben ... Überdies alles hat Gott ihm den Verstand und die höchste Sinnlichkeit gegeben, daß er kann Gott seinen Schöpfer erkennen, was, wie und wer er sei, auch wo er sei ... In dieser hohen Betrachtung stehet die göttliche*

Weisheit selber und hat weder Zahl noch Ende, und wird darin erkannt die göttliche Liebe gegen den Menschen, daß der Mensch erkennt, was Gott, sein Schöpfer, sei, und was er von ihm will getan und gelassen haben. Und ist dem Menschen das allernützlichste, das er je in dieser Welt gründen und suchen mag; denn er lernet hierinnen kennen sich selbst . . .[155]

Wo immer man Böhmes Werk aufschlägt, fällt einem diese universelle, auf Ganzheitserkenntnis hinzielende Betrachtungsweise auf. Besondere Beachtung verdient in diesem Zusammenhang Böhmes Feststellung: Die Erkenntnisfähigkeit des Menschen sei Ausfluß der Liebe Gottes. Gottes Liebe und das Erkenntnisvermögen des Menschen sind somit aufeinander bezogen. Einen oberflächlichen Erkenntnisoptimismus lehnt Böhme freilich ab. Er weiß, *in welche grausame erschreckliche Finsternis wir geraten*, vor allem, wenn wir meinen, jener Tiefenschau des Selbst nicht bedürftig zu sein. *Denn es kann sich kein Mensch entschuldigen seiner Unwissenheit, sintemal Gottes Wille ist in unser Gemüte geschrieben.*[156]

Böhme rechnet demnach mit beidem: einmal damit, daß der Mensch makellos und von engelhafter Vollkommenheit aus der Schöpferhand hervorgegangen ist; zum anderen, daß der Fall Luzifers, der jene kosmische Katastrophe ausgelöst hat, auch den Menschen in die Finsternis stieß. Der Gottebenbildlichkeit (imago dei) ist er deswegen nicht verlustig gegangen. Es gibt eine Hoffnung für den Menschen. Sie stützt sich auf den Christus und die Christustatsache von gesamtmenschheitlichen und kosmischen Ausmaßen. Dieser Christus ist – um mit Paulus zu reden – auch für Böhme der «neue Adam». Vom Menschenbild reden heißt für Böhme, mit dem kosmischen Christus rechnen.

Mit gleichem Recht kann man sagen: Alle Theosophie und Kosmosophie zielt bei Jakob Böhme auf eine Anthroposophie, auf Weisheit vom Menschen hin. Zunächst teilt der «Philosophus teutonicus» die naturphilosophischen Grundanschauungen seiner Zeit, die uns auch von Paracelsus her bekannt sind, wenn er den Menschen als einen Mikrokosmos, als eine kleine Welt ansieht. Das besagt: Der Mensch ist eingeordnet in das große Ganze des Kosmos, der gemäß der offiziellen Kirchenlehre aus der Hand des Schöpfers hervorgegangen ist. Und so wie es im Universum Stufen des Seins, das Pulsieren geistig-physischer Kräfte, Prozesse des Werdens gibt, so teilt auch der Mensch ein Geschöpf von geistlicher und leiblicher Beschaffenheit. Er kommt aus einem Zustand der Ganzheit. Durch einen tragischen Fall ist dieses Bild des Urstands korrumpiert. Der Mensch verlangt danach, neuer Vollkommenheit entgegengebracht zu werden. Dazu ist der Weg zu weisen.

Böhmes Menschen-Weisheit beschreibt demnach nicht ein statisches Faktum, sondern die Dynamik eines dramatischen Prozesses. Der Mensch ist im Werden. Er ist noch nicht vollendet, aber doch vollendbar. Der Mensch ist ein Prozeß. *Der Mensch ist eine kleine Welt aus der großen und hat der ganzen großen Welt Eigenschaft in sich: Also hat er auch der Erden und Steine Eigenschaft in sich, denn Gott sprach zu ihm nach dem Falle: Du bist Erde und sollst zu Erde werden. Das ist Sulphur, Mercu-*

rius und Sal; darinnen steht alles in dieser Welt, es sei geistlich oder leiblich.[157]

Denn der Mensch ist ein Bild der ganzen Kreation aller drei Prinzipien, nicht allein im Ente der äußern Natur der Sterne und vier Elemente als der geschaffenen Welt, sondern auch aus der inneren geistlichen Welt Ente ... In Summa, das menschliche Corpus ist ein Limus aus dem Wesen aller Wesen.[158] Hier spricht Böhme von dem Urmenschen, der nicht etwa mit frühen Formen der menschlichen Rasse zu verwechseln ist, mit denen sich die naturwissenschaftliche Anthropologie und Paläontologie beschäftigen. Daß Böhme eine geistliche Leiblichkeit meint, der er die Gottebenbildlichkeit zuspricht, geht auch aus anderen Texten hervor:

Gleichwie in Gott alle Dinge im Wesen sind und er doch selbst nicht dasselbe Wesen ist und doch das Wesen beherrscht, ein jedes Wesen nach seiner Eigenschaft, also ist der innere geistliche Mensch ein Bild des geformten Worts der göttlichen Kraft, und der äußere ein Bild des innern als ein Werkzeug des innern, gleich wie ein Meister muß ein Werkzeug haben, damit er sein Werk macht.[159]

Dieser Urmensch wird demnach beschrieben als einer, der eben noch nicht in die irdische Verkörperung heruntergestiegen ist. Leiblichkeit ist bei Böhme nicht notwendigerweise mit Materialität identisch. Der «Leib» des paradiesischen Urmenschen ist daher für Böhme von einer wundersamen Transparenz für Schönheit und Makellosigkeit. In ihr erweist sich seine Gottähnlichkeit. *In solcher Kraft war er ein Herr über Sternen und Elementen, und hätte ihn alle Kreatur gefürchtet und wäre unzerbrechlich gewesen. Er hatte aller Kreaturen Kraft und Eigenschaft in sich; denn seine Kraft war aus der Kraft der Verständnis (Weisheit). Nun mußte er haben alle drei Prinzipien, sollte er Gottes Gleichnis sein: 1) Die Quelle der Finsternis, 2) auch des Lichts und 3) auch die Quelle dieser Welt: und sollte doch nicht in allen dreien leben und qualifizieren, sondern in einer als in der paradiesischen, in welcher sein Leben aufging.*[160]

Im Mittelpunkt der anthropologischen Vorstellungen Jakob Böhmes steht ein Geheimnis. Es ist das Mysterium von der androgynen, das männliche und das weibliche Prinzip umfassenden Ganzheit des Menschen. Wenngleich sich Böhmes Denken an der geistigen Schau entzündet hat, so ist doch sein Beitrag zur Androgyn-Frage aus der übrigen Geistesgeschichte nicht zu isolieren. Zunächst ist davon auszugehen, daß das Wissen um die männlich-weibliche Ganzheit des Menschen zu allen Zeiten in den religiösen Überlieferungen auftaucht. Die Mythen berichten von männlich-weiblichen Göttern. Ebenso führen sie die Zweiheit der Geschlechter auf eine ursprüngliche übergeschlechtliche Einheit zurück. Damit ist ein Geheimnisschleier über den Urstand von Gottheit und Menschheit gezogen.

Im Abendland sind es vor allem zwei Überlieferungsstränge, mit denen die Androgyn-Idee verknüpft ist: einmal der vorchristlich-platonische Mythos vom doppelgesichtigen Kugelmenschen im Symposion-Dialog, zum anderen die jüdisch-kabbalistische Deutung des biblischen Buches Genesis, Kap. 1, 26 f, wo es nach Martin Buber heißt:

Gott schuf den Menschen in seinem Bilde,
im Bilde Gottes schuf er ihn,
männlich, weiblich schuf er sie.[161]

Nach Platon ist «die Liebe zueinander den Menschen angeboren, um
die ursprüngliche Natur wiederherzustellen, und versucht, aus zweien
eins zu machen und die menschliche Natur zu heilen»[162]. Platon versteht
den Eros als einen Geleiter und Rückführer in den Urstand des Men-

Der Mensch als Mikrokosmos.
Aus: Robert Fludd, «Utriusque Cosmi Historia». Oppenheim 1617

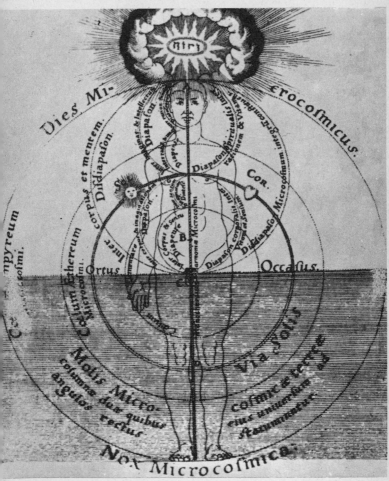

schen. Eine entsprechende Hoffnung knüpft sich an die biblische Überlieferung, wenngleich sowohl die rabbinische wie die christlich-theologische Exegese der Kirche einer derartigen «gnostischen» Ausdeutung der berühmten Genesis-Stelle energisch widersprochen hat. Trotz der nachdrücklichen Ablehnung der Androgyn-Vorstellung durch die offizielle Kirche hat gerade dieser Gedanke immer wieder die Menschen zu Spekulationen beflügelt. Nikolaj A. Berdjajew kommt zu dem Schluß: «Der Mythus vom Androgynen ist der einzige große anthropologische Mythus, auf dem die anthropologische Metaphysik aufgebaut werden kann.»[163] Es ist daher kein Zufall, wenn Gestalten wie der Renaissance-Philosoph Leone Ebreo (d. i. Juda León Abravanel), die englischen Theosophen des 17. Jahrhunderts John Pordage und Jane Leade, der protestantische Mystiker Gottfried Arnold, der nordische Seher Emanuel Swedenborg und der schwäbische Theosoph Friedrich Christoph Oetinger, der Franzose Louis Claude de Saint Martin und die romantischen Naturphilosophen Franz Xaver von Baader und Carl Gustav Carus, schließlich die beiden Russen Wladimir S. Solowjow und Nikolaj A. Berdjajew neben vielen anderen Denkern und Esoterikern der Androgyn-Frage nachgegangen sind. Von Jakob Böhme sind die meisten der hier Genannten nachweislich abhängig. Ernst Benz, der die geistesgeschichtlichen Zusammenhänge dankenswerterweise neu aufgedeckt hat, urteilt: «Bei Jakob Böhme hat die androgyne Spekulation, die bereits n der jüdischen Kabbalistik mit der alttestamentlichen Schöpfungsgeschichte in Verbindung gebracht worden war, ihre christliche Deutung erfahren, ja sie ist in den Mittelpunkt einer christlichen Anthropologie erhoben worden. Die Spekulation über den androgynen Adam bildet bei ihm den Ausgangspunkt seiner Betrachtung über die ursprüngliche Größe und Schönheit des Menschen, über seinen Fall und über die Erneuerung seiner ursprünglichen Herrlichkeit durch die Menschwerdung und das Erlösungswerk Christi. Diese Betrachtungen über das Wesen des Menschen bilden den eigentlichen Mittelpunkt seiner Theosophie. Sein Menschenbild steht in unmittelbarem Zusammenhang mit seiner Gottesidee . . .»[164]

Seit langem wird das Quellenproblem dieser menschenkundlichen Vorstellungen erörtert, das sich auch dann stellt, wenn man berücksichtigt, daß Böhmes Anthroposophie wie sein gesamtes Werk im wesentlichen der geistigen Schau entsprungen ist. Die unmittelbaren literarischen Quellen ließen sich bislang nicht im einzelnen nachweisen. Der lutherische Theologe des 19. Jahrhunderts, Rudolf Rocholl, ein Verehrer Böhmes und später Schüler Christoph Friedrich Oetingers, hat bereits darauf aufmerksam gemacht, daß unter anderen an Pico della Mirandolas, Johannes Reuchlins und Agrippa von Nettesheims Verarbeitung kabbalistischer Ideen zu denken sei. Böhme kann diese Vorstellungen jedoch nicht nur übernommen haben, er hat sie gewiß auch umgeformt. Das ergibt sich schon aus der Art, wie Böhme die heilige Zehnzahl der kabbalistischen Sephirot (Sephirot-Baum) als den «Ternar» (*Dreifaltigkeit*) und den Septenar (*sieben Quellgeister*) versteht. Eine ähnliche Eigenständigkeit legt der Schuster als Lutheraner gegenüber der offiziellen Dogmatik an den Tag. Das gilt, wie wir gesehen haben, hinsichtlich der *himmlischen Sophia*, die Böhme der göttlichen Trinität zuordnet, als auch im Blick auf das androgyne Menschenbild.

Danach ist der Mensch nicht nur das Ergebnis eines Schöpfungsvorgangs, sondern der Mensch als Gestalt der sichtbaren und unsichtbaren Welt, als *Extrakt aller drei Prinzipien göttlichen Wesens* durchläuft selbst verschiedene Stadien eines Entwicklungsgangs. Als *Gottes Gleichnis* (imago dei) ist er erstens *Quell der Finsternis*, zweitens *Quell des Lichtes*, drittens *Quell dieser Welt*. Als dieser Dreigegliederte findet er sich auf der Ebene der vier Elemente vor. In seinem Urstand kleidet ihn *die Klarheit in der Kraft Gottes*. Seine Geistleiblichkeit ließ ihn an der Ewigkeit teilhaben. *Adam war ein Mensch und ein Bilde Gottes, ein ganz Gleichnis nach Gott, wiewohl Gott kein Bild ist . . . Und wie ihn die ewige Magia aus sich gebar im Auge der Wunder und Weisheit Gottes, also auch sollte und konnte er einen andern Menschen auf magische Art aus sich gebären, ohne Zerreißung seines Leibes; denn er war in Gottes Lust empfangen und das Begehren Gottes hatte ihn geboren und dargestellet.*[165]

In seinem großen Genesis-Kommentar *Mysterium Magnum* stellt Böhme im einzelnen dar, wie er die verschiedenen Stadien der Menschwerdung des Menschen sieht: *Adam war ein Mann und auch ein Weib . . . Er hatte beide Tinkturen vom Feuer und Lichte in sich, in welcher Konjunktion die eigene Liebe als das jungfräuliche Zentrum stund.*[166]

Zwei fixe und beständige Wesen waren in Adam, als der geistliche Leib von der Liebe-Wesenheit des innern Himmels, welcher Gottes Tempel war, und der äußere Leib, als der Limus der Erden, welcher des innern geistlichen Leibes Gehäuse und Wohnhaus war, welcher in keinerlei Wege nach der Eitelkeit der Erden offenbar war, denn er war ein Limus, ein Auszug des guten Teils der Erden, welches in der Erden am jüngsten Gerichte soll von der Eitelkeit des Fluches und der Verderbung des Teufels geschieden werden. Dieselben zweierlei Wesen, als das innere himmlische und das äußere himmlische, waren ineinander vermählet und in ein Korpus gefasset ... und waren doch nicht zwei Leiber, sondern nur einer, aber zweierlei Essenz.[167]

Wenn nun das alttestamentliche Buch Genesis (Kap. 2) von dem Schlaf berichtet, der auf Adam fiel, so erblickt Böhme darin, also noch vor dem eigentlichen Sündenfall, die Ursache oder den «Zeitpunkt» für den Verlust der männlich-weiblichen Ganzheit des Urmenschen. Der Mensch wird von den Schicksalsmächten, die ihn zur Inkarnation und damit zur Bewußtwerdung drängen, überwältigt. *Allda sank er zuhand nieder in Unmacht in Schlaf als in eine Unvermögenheit, welches den Tod andeutet. Denn das Bild Gottes, welches unverrücklich ist, schläfet nicht. Was ewig ist, in dem ist keine Zeit. Mit dem Schlaf aber ward im Menschen die Zeit offenbar, denn er schlief ein der englischen Welt und wachte auf der äußern Welt.*[168]

Wer aber ist Eva, die der Menschen-Schöpfergott aus dem Erdenstoff (Adama) bzw. in den Erdenstoff hineinplastiziert? Böhme antwortet: *Bei der Formierung der Eva ist das größte Geheimnis zu verstehen, denn man muß die Geburt der Natur und menschlichen Urstand ganz inniglich verstehen und ergreifen, will man den Grund sehen; denn sie ist der halbe Adam, nicht von Adams Fleisch ganz genommen, sondern aus seiner Essenz, aus dem weiblichen Teile. Sie ist Adams Matrix.*[169] Böhme richtet seinen Blick aber nicht nur zurück auf den paradiesischen Urstand des androgynen Menschen, auch nicht nur auf den von ihm vielbeklagten Sündenfall, durch den Adam ein *tierischer Madensack* und *viehische Zeugungsglieder* angehängt worden sind. Böhme verweist auf Christus, der nicht nur als der Erlöser, sondern gleichzeitig als der Wiederbringer der verlorengegangenen Ewigkeit figuriert. Erlösung bedeutet für Böhme schließlich auch Wiederherstellung des einstigen androgynen Urbildes. Christi Tat ist demnach eine wirksame Antwort auf die Sehnsucht der menschlichen Natur nach dem Ewigen, nach Erfüllung und Ganzheit. Eros und Sexus drücken diese Sehnsucht aus, suchen sie zu befriedigen, ohne dieser Erfüllung Dauer verleihen zu können. Sie bleiben im Vorläufigen, und doch dienen ihre Sprache und ihre Bilderwelt dazu, die tiefste religiöse Menschheitssehnsucht nach der unio bzw. communio, der Vereinigung von Gott und Mensch zu artikulieren. «Das Geheimnis ist groß; ich spreche von Christus und der Gemeinde», heißt es bereits im spätpaulinischen Epheserbrief (Kap. 5, 32). *So sehnet sich nun die Natur nach dem Ewigen und wollte gerne der Eitelkeit los sein. Und also urständet das heftige Begehren in dem weiblichen und männlichen Geschlechte aller Kreaturen, daß sich eines nach dem andern sehnet zu vermischen; denn der Leib verstehet das nicht, auch die Geistluft nicht,*

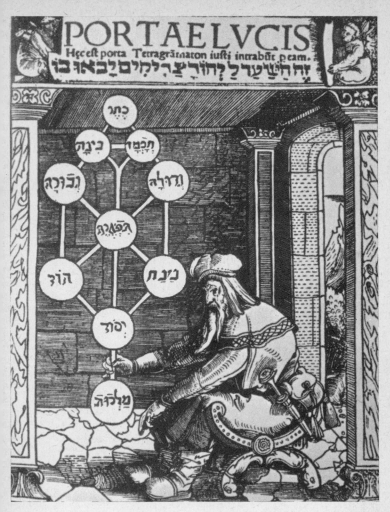

Der Sephirot-Baum der Kabbalisten.
Aus: Paulus Ricius, «Poeta Lucis». Augsburg 1516

allein die zwei Tinkturen, männliche und weibliche, verstehen das, heißt es im Buch *Vom dreifachen Leben des Menschen.*[170]

Wenngleich manche Böhme-Schüler aus dem Entwurf des Meisters eine eros- und sexualfeindliche Ethik abgeleitet haben, die selbst vor der Verteufelung des Erotischen nicht zurückschreckte – eine Entwicklung, an der Böhme nicht völlig unschuldig ist –, so kann man doch sagen: Jakob Böhme hat nach Platon, aber auch auf Grund der großen mythischen Wahrbilder, die die Bibel vom Wesen des Menschen enthüllt, die Grundlagen zu einer erotischen Philosophie gelegt. Was Böhme sagt, darf nicht als eine Mißachtung des Leiblichen, auch nicht der männlich-weiblichen Polarität aufgefaßt werden. Das Mysterium von Mann und Frau, das Geheimnis der zwei Geschlechter ist in einer metaphysischen Einheit aufgehoben, in der das Natur- bzw. Seelenhafte des Menschen, seine Sehnsucht nach Ganzheit, mit dem religiösen Streben des Christen und jedes Menschen versöhnt werden soll. Böhme macht dies dadurch deutlich, daß er beispielsweise im *Mysterium Magnum* die anthropologischen Texte des Alten Testaments Zug um Zug mit dem Christusereignis in Beziehung setzt. Christi Inkarnation, Passion, Sterben und Auferstehen erscheint auf diese Weise im Buche Genesis vorgebildet. Es mutet daher wie eine Summe an, wenn Böhme sagt: *Als Christus am Kreuze unser jungfräulich Bild wieder erlösete vom Manne und Weibe und mit seinem himmlischen Blute in göttlicher Liebe tingierte, als er dies vollbracht hatte, so sprach er: Es ist vollbracht . . . Christus wandte Adam in seinem Schlaf von der Eitelkeit und vom Manne und Weibe wieder um in das englische Bilde. Groß und wunderlich sind diese Geheimnisse, welche die Welt nicht ergreifen mag . . .*[171]

Von derselben Tatsache fällt ein neues Licht auf Maria, die als «Jungfrau» den «Sohn des Menschen» geboren hat. Wichtig ist dem Schuster, daß die irdische Maria zum Gefäß der himmlischen Sophia, das heißt der Gottesweisheit, geworden ist. Dem Protestanten Böhme liegt es fern, die Mutter Jesu als eine Art Miterlöserin zu deklarieren. Wohl aber bezeichnet Maria den Typus einer Seelenhaltung, die die Bereitschaft ausdrückt, mit dem Christusgeist das Bildnis des neuen Menschen zu empfangen. Man mißverstünde Böhme, sähe man durch ihn die Ehe und das eheliche Leben relativiert. Sein Reden von der *Jungfrau* zielt letztlich nicht auf Askese oder Lebensverzicht, wohl aber auf ein brennendes Verlangen, E w i g k e i t i n d i e Z e i t hineinzubringen. Anthropologisch ausgedrückt heißt das *Wiedergeburt* des Menschen. Böhme hat keine Mühe gescheut, alle einschlägigen Bilder der Bibel, angefangen vom paradiesischen Urstand des Menschen bis hin zu den Zukunftsbildern der Johannes-Offenbarung, heranzuziehen, um die *männliche Jungfrau* in Adam mit dem «neuen Adam» in Christus zu konfrontieren. Das *rechte adamische reine Bildnis* des Menschen ist es, das Böhme seinen Schülern ins Herz prägen möchte, wenn er sagt: *Das reine Bildnis ist in Gott verborgen, im Worte, das Mensch ward, gestanden. Jetzt, als die Seele am Ziele stehet, krieget sie die wieder mit der schönen Jungfrau der Weisheit Gottes. Denn das edle Bildnis ward in Adam zerstöret, indem das Weib aus ihm gemacht ward, daß er nur die Feuer-Tinktur behielt und das Weib die Geistes-Tinktur. Jetzt kommts einem jeden ganz wieder heime. Denn das Weib wird im Feuer Gottes des Feuers Tinktur (emp)fahen, daß sie auch wird sein wie Adam, kein Weib noch Mann, sondern eine Jungfrau voller Zucht, ohne weibliche oder männliche Gestalt oder Glieder. Und nie wirds nicht mehr sein: du bist mein Mann, du bist mein Weib, sondern Brüder! In den göttlichen magischen Wundern wird etwas davon erkannt werden, aber kein Mensch achtet das, sondern sind allesamt nur Gottes Kinder in einem Kinder-Leben und Liebe-Spiel.*[172]

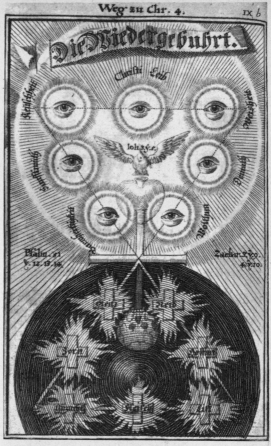

Damit sind wir, ausgehend von Böhmes Theosophie, Kosmosophie und Anthroposophie, an dem Punkt seiner Gedankengänge angelangt, an dem ein Wort zu dem Weg zu sagen ist, der zu dem neuen Menschen führt. Es ist jener Weg, den der erste Kreis um Jakob Böhme als «Christosophie» bezeichnet hat.

CHRISTOSOPHIE

Je länger man sich mit Jakob Böhmes Schriften befaßt, desto deutlicher wird, daß er nicht nur die Inhalte seines Schauens und Sinnens mitteilen will. Seine eigentliche Absicht besteht darin, den Suchenden, Fragenden, Anklopfenden, vor allem den Angefochtenen unter seinen Lesern einen Weg zu zeigen, der zum Ziel der Menschwerdung des Menschen führt.

Für Böhme ist dieser Weg ein «Weg zu Christo». Dies ist auch der Titel jener kleinen Sammlung von Schriften aus der letzten Schaffensperiode in dem Böhmes spirituelles Vermächtnis die Gestalt eines geistig-religiösen Schulungsbuches angenommen hat. Die lateinische Titelbezeichnung lautet in der Gesamtausgabe von 1730 *Christosophia*. Hier umfaßt es neun kleinere Schriften. Das erste gedruckte Böhme-Buch enthielt ursprünglich die Schriften *Von der wahren Buße, Von der wahren Gelassenheit* und *Vom übersinnlichen Leben*. Johann Siegismund von Schweinichen, der die Publikation veranlaßt hat, wählte die Sammelbezeichnung *Der Weg zu Christo*.

Böhme, der immer wieder hervorhebt, *ich habe meine Wissenschaft nicht vom Studio*, und der daher *keines Menschen Autorität anzusehen brauche*, ist gleichzeitig darauf bedacht, sich vor Vermessenheit und Selbstüberschätzung zu hüten. Das gelingt ihm dadurch, daß er zwischen dem äußeren und dem inneren Menschen sorgfältig unterscheidet. Äußerlich ist er der *einfältige Mann*, der nach der *Laien Art* redet und dessen Unbeholfenheit er nie geleugnet hat. Als *ein Philosophus der Einfältigen*, der's seinen Lesern *nicht nach der tiefen Sprache und Zierlichkeit geben* kann, stellt er sich in der *Morgenröte im Aufgang* vor.[173] Sein prophetisches Selbstbewußtsein, das Wissen um sein *Talent* resultiert aus einer anderen Tatsache, die ihm nicht minder zweifelhaft ist. In Anlehnung an die neutestamentliche paulinische bzw. johanneische Redeweise vom «alten» und vom «neuen Menschen» weist Böhme schon in seiner Erstlingsschrift auf diesen wichtigen Unterschied hin: *Nicht sollst du es verstehen, als wäre mein alter Mensch ein lebendiger Heiliger oder Engel. Nein, Geselle, er sitzet mit allen Menschen im Hause des Zorns und des Todes und ist ein steter Feind Gottes, der in seiner Sünden und Bosheit stecket wie alle Menschen, und ist voller Gebrechen. Das sollst du aber wissen, daß er in steter ängstlicher Gebärung stecket und wollte des Zorns und Bosheit gerne los sein, und kann doch nicht. Denn er ist wie das ganze Haus dieser Welt, da immer Liebe und Zorn miteinander ringet und gebäret sich immer der neue Leib mitten in der Angst. Denn also muß es sein, willst du aber von neuem geboren werden. Anders erreicht kein Mensch die Wiedergeburt.*[174]

Damit ist ein Angelpunkt in Böhmes Denken markiert. Was der Schreiber der *Morgenröte* ein wenig umständlich von sich sagt, das gilt für den Menschen schlechthin, der sich aufmachen will, um in die Christusnachfolge zu treten. Auf diesem Weg wird Christosophie, Christusweisheit erlangt, nicht in der Sphäre rationalen Begreifens, also auch nicht durch theologische Besinnung, sondern *in Erkenntnis des Geistes mitten in der Geburt des neuen Leibes dieser Welt, über welchen ist ein Herrscher und König, der Mensch Jesus Christus*[175]. Böhme läßt keinen Zweifel darüber aufkommen, daß der Wiedergeburt ein geistlich-geistiges Ringen vorangehen muß. Darüber theoretisiert er nicht. In einer schriftlichen Verantwortung vor dem Magistrat der Stadt Görlitz aus dem Jahre 1624 legt er dar: *Ich habe angefangen, den Herren* – er meint den Kreis seiner Freunde, der Ratsuchenden – *in göttlicher Erkenntnis zu antworten und auf Bitte und Begehren etliche Büchlein geschrieben, unter welchen das «Von der Buße», welches jetzt gedruckt worden, ge-*

Jakob Böhme. Anonymes zeitgenössisches Gemälde

wesen ist. Denn in diesem Büchlein ist mein eigener Prozeß, dadurch ich meine Gabe von Gott erlangt, aufgezeichnet, schreibt er am 24. April 1624.

Diese Schrift, die von Schweinichen, Böhmes geistlicher Schüler und Förderer, drucken ließ und die in der Gesamtausgabe von 1730 nicht mehr als 42 Seiten zählt, ist geeignet, mit Böhmes Geistesart bekannt zu machen. Als Leser denkt sich der Autor solche Menschen, *die gerne wollten Buße tun und in Begierde sind zum Anfang. Sie werden es beiderseits erfahren, was darinnen für Worte sind, und woraus sie erboren,* heißt es im Vorwort. «Buße» besagt hier soviel wie: geistliches Exerzitium; Buße tun heißt, einen spirituellen Schulungsweg beschreiten. Böhme will nicht nur Leser, die sich über eine fernliegende Sache informieren, sondern er will sie geistlich umformen, auf den Weg einer inneren Entwicklung stellen. Vom theoretischen Wissen zur praktischen Seelenerfahrung, lautet die Devise. Es versteht sich, daß Böhme in der Sprache der Mystik redet. Gerade in den Schriften des *Wegs zu Christo* wird man an die Traditionen mystischer Rede auf Schritt und Tritt erinnert. Hier ist am ehesten ein Vergleich mit Meister Eckart, mit Johannes Tauler und Heinrich Seuse oder auch mit Thomas a Kempis' «Nachfolge Christi» möglich.

Was auf dem mystischen Pfad zu erleben ist, beschreibt Böhme so: *Wenn der Mensch will zur Buße schreiten und sich mit seinem Gebete zu Gott wenden, so soll er vor allem Gebete sein Gemüt betrachten, wie dasselbe so ganz und gar von Gott abgewandt steht, wie es an Gott sei treulos worden, wie es nur in das zeitliche, zerbrechliche, irdische Leben gerichtet sei.*[176] Man mißverstünde den Autor, wenn man ihn auf Grund derartiger Hinweise mit einem der traditionellen Bußprediger verwechselte. Bezeichnend ist freilich die immer wiederkehrende Aufforderung zu meditativer Betrachtung in Verbindung mit einer konzentrierten Willensanspannung. Außerdem gilt es, *die Verheißungen Christi anzuziehen* – ein Bild meditativer Aktivität. Und dem, der sich in den *Prozeß der Buße* hineinbegibt, schärft Böhme ein: *Dieser ergreife nur die Worte Christi und wickle sich in Christi Leiden und Tod ein.*[177] Hinzu tritt der Appell zur Entschlossenheit, jetzt und hier übend zu beginnen: *Er raffe Sinnen und Gemüte mit aller Vernunft zusammen in Eines und mache sich zur selben Stunde, alsobald in der ersten Betrachtung, wann er sich in Lust* (d. h. Bereitschaft) *zur Buße fühlet, einen gewaltigen Vorsatz, daß er d i e s e Stunde und d i e s e Minute a l s o b a l d will in die Buße eingehen und von dem gottlosen Wege ausgehen, auch aller Welt Macht und Ehre für nichts achten.*[178]

Böhme scheut sich nicht, diese und ähnliche Wendungen mehrmals zu wiederholen. Das entspricht nicht nur seiner Diktion. Es entspricht vor allem dem Gesetz der Wiederholung, das in der Exerzitienliteratur zur Geltung kommen muß: *Er soll sich festiglich einbilden und seine Seele ganz dareinwickeln, daß er in seinem Vorsatze werde die Liebe Gottes in Christo Jesu erlangen.* Gemeint ist, die Seele des Übenden müsse sich geradezu von dem Christus-Geist imprägnieren lassen. Wesentlich ist, daß hierbei weder ein Glaubenssatz noch eine Kirchenlehre als verbindich anzuerkennen sei. Es geht um jenen mystischen Prozeß, der dem Prozeß Christi mit den Stufen der Passion, des Sterbens und der Auferstehung entspricht. Es sind Stufen der christlichen Einweihungspraxis, die in verschiedener Ausgestaltung geübt worden ist. Auch Johann Valentin Andreäs zeitgenössische «Chymische Hochzeit: Christiani Rosencreutz» ist als ein Einweihungsweg dieser Art gemeint. Der von Böhme gewiesene Pfad besteht darin, *daß er* (der Übende) *in der Menschheit Christi nach himmlischen göttlichen Wesen werde i n ihm selber n e u g e b o r e n werden.* Anders ausgedrückt: *Allhier steht Adam nach seinem himmlischen Teil vom Tode auf in Christo.*[179] Die christosophischen Aussagen Böhmes sind von den menschenkundlichen somit nicht zu trennen.

Böhme weiß, daß diese Neugeburt des Menschen, *wenn hernach die Morgenröte in der Seele anbricht,* nur eben anzudeuten, durch symbolische Reden zu bezeichnen, nicht aber in zureichendem Maße zu beschreiben ist. Die Offenbarung Johannis, auf die Böhme verweist, verkündet dies letzte Menschheitsziel als die «Hochzeit des Lammes» (Offenbarung 19,7). Zum andern macht Böhme darauf aufmerksam, daß es auf dem Weg zu Christo zur Begegnung mit der *edlen Jungfrau Sophia* komme. Dennoch bleibt der Prozeß auf Christus bezogen, er bleibt «Christosophie» im Sinne des lateinischen Buchtitels. Daher die nochmalige Ermahnung: *Willst du ihn* (Christus) *anziehen, so muß du durch seinen ganzen Prozeß, von seiner Menschwerdung bis zu seiner Himmelfahrt gehen ... Denn die Jungfrau Sophia vermählt sich anders gar nicht mit der Seelen.*[180] – Dem Kreis der Freunde sind noch einige andere Schriften gleicher Zielsetzung gewidmet, so das 1624 begonnene, Fragment gebliebene *Vom heiligen Gebet, gerichtet auf alle Tage in der Woche.* Diese Texte soll der Betende nicht einfach stereotyp wiederholen; denn *es* (be)*darf nicht langer Worte, sondern nur einer gläubigen, bußfertigen Seele, die sich mit ganzem Ernste in die Barmherzigkeit Gottes, in Gottes Erbarmen einergibt.*[181]

Manches erinnert bei Jakob Böhme an die christliche Gnosis, wenn man darunter die zum Grundbestand des Neuen Testaments gehörige Erkenntnis (Gnosis) versteht, die mit dem häretischen Gnostizismus nicht verwechselt werden darf. So gebraucht der Schuster immer wieder das evangelische Bild von der Perle: *... du irdischer Leib, der du meine Perle hast verschlungen, welche Gott meinem Vater Adam im Paradies gab.*[182] Diese Perle, Inbegriff des Göttlichen im Menschen, gilt es zu ergreifen, zu realisieren. Das ist aber nur möglich, wenn Christus den Menschen aus dem Schlafzustand seiner Seele erweckt und seinen Geist erleuchtet: *Vor dir liege ich als ein Toter, dessen Leben auf seinem Gaumen schwebt als ein kleines Fünklein ...*[183] Die gnostischen Thomas-Akten enthalten unter anderem das «Lied von der Perle», in dem es um nichts anderes geht, als daß der aus lichter Himmelswelt in die irdische Verkörperung herabgesunkene (bzw. gesandte) Königssohn die verlorene Perle wiedererlange. Aber der Sucher ist in Gefahr, seine Himmelsabkunft – Böhme nennt es *das erste Vaterland* – zu vergessen. Der Suchende hat Gnosis (Erkenntnis) als eine Gabe der Erweckung und der Wiedererinnerung nötig. Bei Böhme ist es Christus selbst, der der irrenden Seele entgegentritt. Indem dies geschieht, erlangt die Seele Bewußtheit über ihre Situation. *Als dieses geschah, daß in ihr der Funke göttlichen Lichts offenbar ward ... sprach der Herr Christus mit seiner Gnadenstimme in sie: Tue Buße ... so kommst du zu meiner Gnade!* [184]

Wir ziehen eine Summe: Die Textbeispiele der vorausgegangenen Kapitel sollten eine Vorstellung von Böhmes schauendem Denken, sodann von seinem Bemühen um eine Seelenumwandlung seiner Schüler vermitteln helfen. Dabei dürfte deutlich geworden sein, daß seine Gottes und Weltschau sich ebensowenig wie seine Menschenkunde und Christusweisheit in ein starres Schema pressen lassen. Hier wie dort ist der Versuch gemacht, die Weltentatsachen in ihrer Prozeßhaftigkeit und Dynamik in den Blick zu bekommen. Suchte Böhme in einer kühnen Gleichnissprache selbst die Tiefen der Gottheit zu ergründen, so kommt seine Menschen- und Christusweisheit dort zu ihrem Ziel, wo sich der Mensch als ein aus Erkenntnis Handelnder aus freiem Entschluß in den Prozeß hineinstellt, der dem Christusmysterium am ehesten entspricht. Denn *alles Spintisieren und Forschen von Gottes Willen ohne Umwendung des Gemütes* ist *ein nichtig Ding* [185]. *Es muß ein ganz neuer Wille aus Christi Tod aufstehen, ja aus Christi Eingehung in die Menschheit muß er ausgeboren werden und in Christi Auferstehung aufstehen.* [186] Damit reihte sich der Görlitzer Schuster in die Schar derer ein, die die rosenkreuzerische Erkenntnis als eine Synthese einer Gottes-, Welt- und Menschenweisheit hüteten:

> Ex deo nascimur,
> In Christo morimur,
> Per Spiritum Sanctum reviviscimus.

[Aus Gott sind wir geboren,
In Christo sterben wir,
Durch den Heiligen Geist werden wir wiedergeboren.]

BÖHMES PROTESTANTISCHER PROTEST

Böhmes Kirchen- und Christusverständnis verdient in mehrfacher Hinsicht eine gesonderte Betrachtung. Er ist einerseits der religiösen Tradition seiner Väter verpflichtet, andererseits meldet er Bedenken gegenüber gewissen Erscheinungsformen der Kirche seiner Zeit an. Böhme kritisiert nicht nur, er setzt auch Maßstäbe, wenn er beispielsweise darlegt, wie die Bibel zu lesen sei oder welcher Weg eingeschlagen werden müsse, um zu Christus zu gelangen.

Zunächst ist davon auszugehen, daß der Schuster eine christliche Erziehung lutherischer Prägung erhalten hat. Wie aus seiner Biographie hervorgeht, muß die alteingesessene Böhme-Familie in Alt-Seidenberg ein sehr enges Verhältnis zur Kirchengemeinde gehabt haben. Die erwähnten Inschriften an der Dorfkirche von Seidenberg beweisen es. Die Erebnisse der mystischen Schau haben an seiner persönlichen Beziehung zur Görlitzer Gemeinde nichts geändert. Böhme saß nicht nur allsonntäglich unter der Kanzel von Martin Moller, sondern auch als Gregor Richter dessen Nachfolge angetreten hatte. Daß Böhmes Sprache an der Luther-Bibel geschult war, ist für das 17. Jahrhundert eine Selbstverständlichkeit. Zudem muß er aus eigenem Antrieb ein intensives Bibelstudium geübt haben. Nur so sind die unzähligen Anspielungen und die sehr zahlreichen direkten Bibelzitate zu verstehen. Allein das «Register der Örter und Sprüche der Heiligen Schrift» in der Werkausgabe von 1730 füllt 49 Seiten. Auch die Gesangbuchlieder Martin Luthers müssen ihn unmittelbar angesprochen haben. So ist es kein Wunder, daß dem Predigthörer und Bibelleser Böhme die Grundlagen der reformatorischen Theologie vertraut sind. Im Mittelpunkt steht das Kreuz Christi, auch bei Böhme. Und trotzdem sind die Unterschiede, auf die er wiederholt hinweist, nicht zu übersehen. Allerdings hat er dabei weniger Luther selbst als vielmehr dessen zänkische Nachbeter aus dem Lager der lutherischen Orthodoxie im Auge.

Jakob Böhme, der sich im alltäglichen Leben als ein Furchtsamer, leicht Einzuschüchternder, als ein Mann der Demut und des Gehorsams zu erkennen gab, wenn es darum ging, seine persönlichen Belange in Disput und Streitgespräch durchzusetzen, erwies sich auf der anderen Seite als streitbar und seiner prophetischen Sendung bewußt, wo immer er eine Gelegenheit sah, seine Sache, die Sache seines Gottes voranzutreiben. Für diese Sache riskierte er vor allem eine spitze Feder. Den Autoritäten in Schule und Kirche stellte er ohne jede Scheu seine eigene Autorität als eine *ohne alle sein' Verdienst und Würdigkeit* empfangene Gabe entgegen. Er ließ auch nie einen Zweifel darüber aufkommen, welcher Autorität er das größere Recht zuerkannte. Das darauf gründende Selbstbewußtsein bekundet sich bereits in *Morgenröte*. Beinahe unwirsch und provokativ tritt der sonst so kleinlaute Schuster Anhängern einer bestimmten Geisteshaltung in den Weg, die auf äußere Gelehrsamkeit, auf Diplom und Titel mehr hielten als auf geistiges Schauen: *Du darfst meines Geistes allhie nicht spotten. Er ist nicht aus einem wilden Tiere entsprungen, sondern er ist von meiner Kraft geboren und von dem Heiligen Geiste erleuchtet. Ich schreibe allhier nicht ohne Erkenntnis. So du aber als ein Epikuräer und Teufels Mastsau aus des Teufels Anregen wirst dieser Dinge spotten und wirst sagen: Der Narr ist nicht in Himmel gestiegen und hats gesehen oder gehöret, es sind Fabeln, – so will ich dich in Kraft meiner Erkenntnis vor das ernste Gerichte Gottes zitieret und gerufen haben. Und ob ich in meinem Leibe ohnmächtig bin, dich dahin zu bringen, so ist doch der, von dem ich meine Erkenntnis habe, mächtig genug, dich auch in Abgrund der Höllen zu werfen. Darum sei gewarnet* [187]!

Für den Lutheraner Böhme ist Reformation sodann keine in sich abgeschlossene Lehre, die man in Bekenntnisschriften ein für allemal verbrieft vorweisen kann. Die Devise «ecclesia semper reformanda», Kirche sei ständig reformierungsbedürftig, war ihm nie eine inhaltslose Parole. Die Gewißheit, daß Reformation fortschreite, gehört zu seinem Lebensinhalt. Sie wurde ihm zu einer erfahrbaren Tatsache. Zweifellos erwartete er bis zuletzt tiefgreifende Wandlungen, die sich auch in Gestalt äußerer Veränderungen manifestieren sollten. Es ist aber nicht klar, worin diese Veränderungen inmitten des Dreißigjährigen Krieges im einzelnen bestehen sollten. Was Böhme von Mitternacht her erwartete, das Aufblühen der Lilie, den Anbruch des Lilienzeitalters, trug eher die Züge eines erst noch zu entschlüsselnden apokalyptischen Bildes als der klaren Vorausschau eines Zukünftigen. Um so gewisser, eindeutiger und konkreter sind Böhmes Aussagen über das, was im Seelisch-Geistigen des Menschen als ein Prozeß der Reformierung – er nennt's *Wiedergeburt* – zu geschehen hat. Führt diese Blickrichtung nicht in eine weltfremde Innerlichkeit hinein? – Wer eine Antwort auf diese gewiß berechtigte Frage sucht, muß sich erst einmal vergegenwärtigen, wodurch Böhmes Protest hervorgerufen wurde.

Vor Augen stand ihm eine Kirche, von deren Kanzeln herab zwar die «reine Lehre» Luthers mit vielen Bibelzitaten und Rechtfertigungstheologie gepredigt wurde, deren Verkünder aber vielfach den Eindruck erweckten, als hielten sie es allein mit dem Buchstaben der Schrift und des reformatorischen Bekenntnisses. Ihm, dem vom Geist Getriebenen, der gleichwohl ein frommer Kirchenchrist war und bleiben wollte, mußte in zunehmendem Maße die große Kluft zu schaffen machen, die sich zwischen der gepredigten Theologie und der selbst erlebten Theosophie, zwischen dem dozierten Buchstaben und dem erfahrenen Geist, zwischen der Rechtfertigungslehre und dem beschreitbaren Erleuchtungs- und Heiligungsweg auftat. Es liegt nahe, das religiöse Ringen des jungen Wittenberger Augustinermönchs Martin Luther mit dem des Görlitzer Schuhmachermeisters Jakob Böhme zu vergleichen. Sein Erschrecken und *harte Melancholie* angesichts der Tiefe des Seins, angesichts der bedrängenden Frage nach dem Wesen von Gut und Böse läßt sich mit Luthers Ringen um den «gnädigen Gott» in Parallele setzen. Hier wie dort werden bestürzende, bis zu Schwermut und Verzweiflung führende Erfahrungen gemacht, die zwar beschrieben, jedoch nicht ohne weiteres «nachempfunden» und schon gar nicht nachgeprüft werden können, deren Realitätsgehalt dennoch unbestreitbar, wenngleich undefinierbar ist.

Auf der anderen Seite blieb Böhme als einem aufmerksamen Beobachter der Vorgänge in der Welt und der Kirche nicht verborgen, daß die für seine Begriffe skandalösen Lehrstreitigkeiten zwischen Anhängern Luthers und Calvins das Maß des Erträglichen längst überschritten hatten. *Die Meinungen um den Kelch und Person Christi, die jetzt in Deutschland gehen, sind auch aus dem antichristlichen Baume gewachsen und sind des Antichrist Kinder*, notiert Böhme einmal.[188] Calvinist oder sogenannter Kryptocalvinist zu sein, entsprach einer gesellschaftlichen Diffamierung. Böhme war das alles zuwider: *Denn Christus steckt in keiner Zankmeinung, sondern in der Linea seiner Gnaden ist er mitten unter uns getreten. Und so wir ihn annehmen, so nimmt er auch uns in ihm an und (es be)darf keines Streites noch Meinung, sondern nur das einige will er von uns haben, daß wir in ihm bleiben, so will er in uns bleiben, und daß wir uns in ihm lieben, wie er uns in sich liebet . . .*[189] Es gilt, das Bild Adams, das gefallene Menschenbild, wieder aufzurichten. Theologische und konfessionalistische Streitigkeiten tragen nichts

Luther als Mönch. Kupferstich von Lucas Cranach d. Ä., 1520

dazu bei; sie sind eher Ausdruck menschlicher Gefallenheit. Anders gesagt: Böhme geht es um die Realität des In-Christo-Seins, wie es Paulus
in seinen Briefen nennt und wie es der Evangelist Johannes in dem von
Böhme mehrfach angeführten Bild vom Weinstock und den Reben ver-
deutlicht hat.

Schließlich erteilte Gregor Richter dem Schuster einen unmißverständ-
lichen Anschauungsunterricht vom tatsächlichen Zustand der Kirche, so
daß dem einfältigen Bibelleser und Gemeindeglied *die Haare vor Gram
und Entsetzen zu Berge* standen. Böhmes Erschütterung und Ratlosigkeit
war um so größer, als er erkennen mußte, daß weder der Görlitzer

APOLOGIA
contra
GREGORIUM RICHTER,
oder

Schutz-Rede

wieder

Gregorium Richter, Ober-
Pfarrer zu Görlitz:

Zu gebührlicher Ablehnung des schrecklichen
Pasquills und Schmäh-Karten wieder das Büchlein von wahrer Buße und von wahrer Gelassenheit; welchen
Pasquill der besagte Ober-Pfarrer darwieder
ausgesprenget hat.

Geschrieben im Jahr 1624. den 10. April;

Wie auch

LIBELLUS APOLOGETICUS

oder

Schriftliche Verantwortung

an E. E. Rath zu Görlitz,

wieder des Primarii Lästerung, Lügen und Verfolgung über das gedruckte Büchlein von der Buße.

Geschrieben von

Jacob Böhmen,

Anno 1624. den 3. April.

_____

Gedruckt im Jahr des ausgebornen großen Heils
1730.

Magistrat noch die vorgesetzten Kirchenbehörden einen Finger rührten,
um dem «geistlichen» Pamphletisten und verleumderischen Hauptpredi-
ger an der Peterskirche zu Görlitz, wie Böhme vergebens hoffte, *das
Maul zu stopfen.* Wenn Luther im zeitgenössischen Papsttum eine Ein-
richtung des Antichrists sah, so mußte Böhme dem Inhaber des Hirten-
amtes zurufen: *Euer Predigen ist alles umsonst, so nicht Christus durch
euer Wort in den Zuhörern wirket. Soll aber solches geschehen, so müs-
set ihr den Kot und Spott aus eurem Munde tun, nicht lästern; denn im
Lästern wirket Satan. Aber mit einer reinen Seelen wirket Christus; das
Lästern ist der Antichrist . . . Ihr brauchet mit eurem Lästern oft des
Satans Hammer unter Christi Purpurmantel. Euer Herz ist voller Gall
und Bitterkeit. O ach, es ist Zeit!* [190]

Worin besteht nun Böhmes protestantischer Protest?

Gregor Richter warf in seinem letzten «Pasquill» dem Schuster vor, e beraube mit seinen «Verzückungen» und «Träumen» die «gläubigen Herzen des Glaubens». Darauf antwortete Böhme so, daß deutlich wird, wie sich sein geistliches Wirken zur Verkündigung der offiziellen Kirche verhielt: *Ich führe die Menschen nicht von dem gepredigten und geschriebenen Worte ab. Ihr tut mir in dem Fall unrecht. Ich sage aber, sie sollen den Tempel Jesu Christi zum gepredigten oder geschriebenen Worte bringen als eine bußfertige, hungerige Seele, welche Christum als das lebendige Wort in dem buchstäbischen und gepredigten Wort in sich selber höret lehren.*[191] Böhme führt einige Bibelstellen an, die darauf hindeuten, daß es darum gehe, «das Wort in den Wörtern» (K. Barth), die Stimme des anredenden Gottes aus den Wortlauten der Schrift, herauszuhören. Im Grunde könne nur eine *bußfertige Seele*, ein Mensch also, der einen Prozeß der Wandlung und der Erneuerung durchgemacht hat, *Christi Stimme hören, es sei in der Predigt, im Lesen oder Reden, denn solches hat uns Christus gelehret. Dem glaube ich mehr als aller Kunst. Denn der historische Glaube mit dem Wissen, Kitzeln und Trösten ohne Kraft und ohne ernstem Willen ist tot und nur eine Hülse.*

Aus dem gleichen Grund lehnt er einen scheinheiligen religiösen Formalismus ab. Nicht das Kirchegehen an sich hält der fleißige Kirchgänger Böhme für verwerflich, wohl aber einen oberflächlichen, allgemein geübten Umgang mit den kirchlichen Formeln und Formen. Dies steckt hinter dem Satz: *Es ist nicht genug, daß wir in die Kirchen und zum Sakrament gehen.* Es ist eine Absage an die Heuchelei. Böhme geht es um den «Beweis des Geistes und der Kraft», wie es Gotthold Ephraim Lessing ein Jahrhundert später in seinem Aufsatz über «Christi Lehre und die historische Wahrheit» ausgesprochen hat. Und wenn Lessing dort die Frage bewegt, in welchem Verhältnis «zufällige Geschichtswahrheiten» und «ewige Vernunftwahrheiten» zueinander stehen, so sieht Böhme die Diskrepanz zwischen einem *historischen Glauben*, der an der Oberfläche der Konvention bleibt, und dem *rechten Glauben, der Kraft, Geist und Leben ist.* Böhme versteht darunter *ein Feuer göttlichen Worts, das da brennet und um sich leuchtet, das mit Gott wirket . . . Der rechte wahre Glaube ist die lebendige wirkliche Kraft Gottes. Sein brennendes Feuer ist die feuerflammende Liebe Gottes, welche herausbricht und das Werk tut.*[192] So redet nur, wer selbst entflammt ist und die Dynamik des lebendigen Glaubens erfahren hat. Hier ist einer, der vom Feuer-Geist eines Elia ergriffen ist, entzündet von «Hithlahawuth», dem Entbrennen, wie es die ostjüdischen Chassidim nennen. Man denkt an ein Wort von Israel-ben-Elieser, genannt Baal-Schem-Tow, das Martin Buber überliefert hat: «Der Mensch ergreife die Eigenschaft des Eifers gar sehr. Er erhebe sich im Eifer von seinem Schlaf, denn er ist geheiligt und ein andrer worden . . .»[193]

Böhme konstruiert jedenfalls keinen künstlichen Gegensatz zwischen der institutionellen Kirche und der ecclesia spiritualis, der «Geistkirche», zu der sich seit Christi Abschiedsreden im Johannes-Evangelium, seit Joachim von Fiore und ungezählten anderen einst wie heute eine nicht abzuschätzende Gemeinde bekennt, deren Glied Jakob Böhme zweifelsohne ist.[194] Aber auf den Tatbestand mußte der Görlitzer aufmerksam machen, der sich durch mancherlei Niedergangserscheinungen in der

Titelkupfer zu «Theosophische Sendbriefe», 1682. Ausgabe von 1730

Christenheit herausgebildet hatte. Der Tatbestand einer ihrer spirituellen Substanz weitgehend entleerten Kirche lag vor aller Augen. Böhme gehörte zu den wenigen, die in ihrer Zeit der Diagnose fähig waren und eine Therapie anzubieten hatten. Was die Kirche der Reformation anlangt, so war er durchaus nicht der erste, der sich der Sachlage bewußt geworden ist. Caspar von Schwenckfeld und der Tschoppauer lutherische Pfarrer Valentin Weigel wurden bereits genannt. In den kleinen Kreisen, in denen deren Gedankengut abseits der orthodoxen Verkündigung gepflegt wurde, verstand man jedenfalls, was Jakob Böhme meinte, wenn er Kritik an der *Mauerkirche* übte.

Auf den Zustand der Christenheit kommt Böhme an vielen Stellen seines Werks zu sprechen, bald in der Form der Klage, bald als Mahner, Ankläger und Bote bevorstehenden Gerichts. In den *Theosophischen Sendbriefen* heißt es einmal: *Ach, es ist jetzo nur eine Maul- und Titel-Christenheit. Das Herze ist ärger als da sie Heiden waren.* Christus ist zu einem Deckmantel geworden, das Evangelium zum Gegenstand theologischer Streitgespräche, die in Beleidigungen und Verleumdungen ausarten. *Man zanket jetzt nicht allein im Wissen und Bildern und die Kraft verleugnet man. Aber es kommet die Zeit der Probe, da man wird sehen, was ihre Bilder gewesen sind* ... Böhme wird deutlicher, indem er eine Situation schildert, die es Wachenden geboten erscheinen läßt, *von Babel auszugehen* ... *Ach finstere Nacht! Wo ist die Christenheit? Ist sie doch gar zur brüchigen Hure geworden? Wo ist ihre Liebe? Ist sie doch gar zu Kupfer, Stahl und Eisen worden? Wobei soll man jetzt die Christenheit kennen. Was für einen Unterschied hat sie vor Türken und Heiden? Wo ist christlich Leben?* [195] Diese Sätze, ein halbes Jahr vor seinem Tod niedergeschrieben, schließen mit dem Ausblick auf *die Reformation*, deren Herankunft er drei Jahre zuvor in einem Gesicht als nahe bevorstehend geschaut hat. Wer Böhmes umfangreichstes Werk *Mysterium Magnum* aufschlägt, stößt auf eine schonungslose Abrechnung mit der *Mauerkirche*. Die Handhabung der allegorischen Schriftauslegung gibt dem Seher die Möglichkeit, die amoralische Lebensweise einiger alttestamentlicher Gestalten als eine Präfiguration kirchlicher Zustände zu deuten. Es genügt, das 63. Kapitel daraufhin durchzulesen.

So hart die Anklage Böhmes auch ist, sein protestantischer Protest zielt nicht auf eine äußere Revolution der kirchlichen Verhältnisse hin. Er weiß zu gut, daß die Entscheidungen nicht dort fallen, wo allein äußere Organisationsformen geändert und alte Strukturen durch neue ersetzt werden. Wichtiger ist ein neuer Geist. Deshalb rüttelt er auch nicht am reformatorischen Formalprinzip «Sola scriptura» (allein die Schrift). Er ersetzt das geschriebene Wort nicht durch das «innere Licht» gewisser Spiritualisten vor und nach ihm. Alternativen dieser Art traut er nicht. *Es ist aber der Geist Christi in seinen Kindern an keine gewisse Form gebunden, daß er nichts mehr reden dürfte, was nicht in den apostolischen Buchstaben stünde.* Für Böhme gibt es demnach nicht nur eine fortschreitende Reformation, sondern auch eine weitergehende Offenbarung, insofern jedenfalls, als es ihm unerträglich ist, anzunehmen, Gott habe nach Abschluß des Bibelkanons aufgehört zum Menschen zu sprechen, ihn zu inspirieren und mit seinem Geist zu erfüllen. *Also redet auch*

noch der Geist Christi aus seinen Kindern. Er (be)darf keiner zuvorhin
zusammengesetzten Formula aus dem buchstäblichen Worte. Er erinnert
den Menschengeist wohl selber dessen, was im Buchstaben begriffen
ist.[196] Böhme beruft sich auf die johanneischen Abschiedsreden, in denen
Christus den Seinen den Geist verheißt, der ihnen Weg-Führer in die
ganze Wahrheit ist und ihnen das sagt, wozu die ersten Jünger noch
nicht aufnahmefähig waren (Joh. 16,12 f). Welche Rolle spielt somit der
Buchstabe? – Für Böhme ist er Offenbarungsträger. *Sie sagen, das auf-*
geschriebene Wort sei Christi Stimme. Ja, das Gehäuse ists wohl als eine
Form des Worts, aber die Stimme muß lebendig sein, welche das Ge-
häuse als ein Uhrwerk treibet. Der Buchstabe ist ein Instrument dazu,
eine Posaune (gleichsam), *aber es gehöret ein rechter Hall darein, der*
mit dem Hall im Buchstaben konkordiere.[197]

Das Problem besteht demnach darin, die Schrift neu zum Sprechen
zu bringen. In Anlehnung an Martin Buber könnte man sagen: Böhme
meint nicht ein Buch. Er meint die Stimme. Er meint, daß man die
Stimme im Buch der Bibel «hören» lernen solle. Somit geht es um die
«Gesprochenheit des Wortes» und um eine Interpretation der Bibel, die
der Realität des Spirituellen in der Schrift Rechnung trägt.[198] Denn «das
durch Menschenmund verkündigte Evangelienwort bleibt Menschen-
wort, wenn nicht durch die Transparenz des Zuhörens und des Sprechens
das Sprechen Gottes darin miterklingt» (Emil Bock).

So ist Böhmes Protest aufs Ganze gesehen ein Pro-test, das heißt ein
Zeugnisablegen für den Geist, dem er seine Stimme und seine Feder
geliehen hat. Heute kann niemand mehr die große Resonanz seines
Wortes in Zweifel ziehen, wenngleich ihn nur wenige kennen.

NACHWIRKUNGEN

Will man sich ein Bild von den Wirkungen machen, die Böhmes Gedanken ausgelöst haben, so lassen sich zahlreiche Linien ausziehen, die
unter sich wiederum durch Querverbindungen in Beziehung zueinander
stehen. Philosophen und Theologen, Dichter und enthusiastische Spiritualisten sind bei dem geistesmächtigen Schuster in die Schule gegangen. Die einen berauschten sich an den symbolbeladenen Imagina-
tionen seines Schauens und verfehlten damit die eigentlichen Intentionen
des Sehers, indem sie sich in eine welt- und wirklichkeitsferne Geistigkeit verloren. Die anderen ließen sich in jene Gottes-, Natur- und Menschenweisheit einweihen, durch die sie eine neue, geistdurchtränkte
Wirklichkeitserkenntnis zu erlangen hofften. Böhme inspirierte keineswegs nur die Frommen in den mystischen, okkultischen und pietistischen
Konventikeln. Von ihm, den kein Geringerer als Hegel als «den ersten
deutschen Philosophen» anerkannte, der als erster Denker deutscher
Zunge das Bibeldeutsch Luthers in den Dienst einer christlichen Welt-
deutung stellte, lernten nahezu alle wichtigen Philosophen und Naturforscher Mitteleuropas. Zu den offenbaren, literarisch nachweisbaren
Einflüssen treten die mehr untergründigen Wirkungen, die von Böhme

Auch Alchimisten beriefen sich auf Jakob Böhme

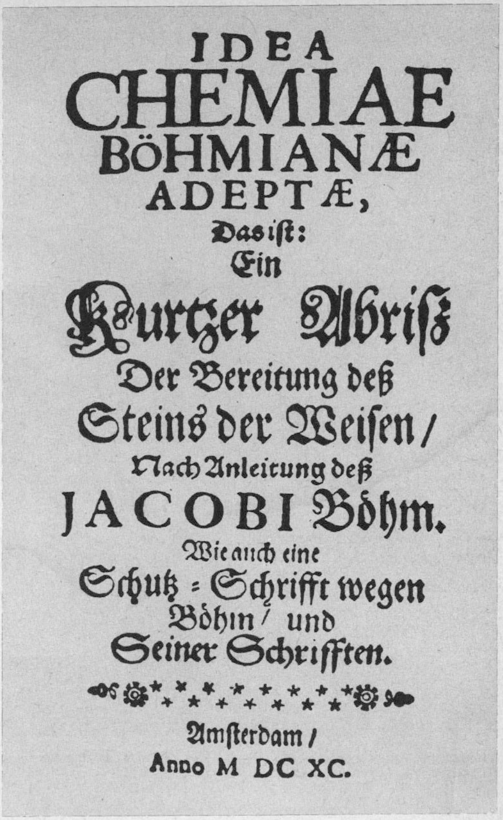

IDEA
CHEMIAE
BÖHMIANÆ
ADEPTÆ,
Das ist:
Ein
Kurtzer Abriß
Der Bereitung deß
Steins der Weisen /
Nach Anleitung deß
JACOBI Böhm.
Wie auch eine
Schutz-Schrifft wegen
Böhm / und
Seiner Schrifften.
Amsterdam /
Anno M DC XC.

ausgegangen sind. Von ihm ist das geistige und religiöse Klima des 17. und 18. Jahrhunderts und bis in die Anfänge des 19. Jahrhunderts hinein mitbestimmt worden. Aufklärung und Rationalismus mußten mit ihm als mit einem nicht zu übersehenden Widerpart rechnen. Descartes und Leibniz konnten ihn ebensowenig ignorieren wie die Pietisten Philipp Jakob Spener oder der Repräsentant der Herrnhuter Brüdergemeine, Reichsgraf Nikolaus Ludwig von Zinzendorf. Böhmes Einfluß bekamen Philosophen vom Range Arthur Schopenhauers, vor allem aber Antirationalisten wie Johann Georg Hamann, am intensivsten die Dichter und Philosophen der Romantik zu spüren.

Zur Verbreitung seiner Gedanken und Erfahrungen hat Böhme selbst nicht allzuviel beigetragen. Seine Erstlingsschrift war ohne sein Wissen, wenn nicht gegen seinen Willen verbreitet worden. Später mußte er zugestehen, daß sein Schreiben einen Dienst gegenüber Gott und den Menschen darstelle. Sein schriftstellerisches Schaffen, das auf wenig mehr als ein Jahrzehnt zusammengedrängt erscheint, begann noch zu seinen Lebzeiten Frucht zu tragen. Selbst der skrupellose Oberpfarrer Gregor

Stube im Böhme-Museum, Görlitz. Links die Schuster-Werkstatt

Angelus Silesius (Johannes Scheffler). Anonymes Gemälde

Richter, Böhmes Privatinquisitor und erbittertster Gegner, mußte in einem Schmähgedicht zugeben, daß sich des Schusters Lehre in ganz Schlesien ausgebreitet habe. Das war nicht zuletzt deshalb möglich, weil Böhme bei einer Reihe von geistesverwandten Einzelpersonen und deren Freundeskreisen die nötige Resonanz fand. Es bildete sich jener Zirkel, von dem aus das Gedankengut weiter ausstrahlte. So gab es überall, in den Städten und Dörfern von Sachsen, der Lausitz, in Schlesien und bis nach Böhmen hinüber, kleine Gruppen von Anhängern. Dank der Tatsache, daß zahlreiche *Epistolae Theosophicae (Theosophische Sendbriefe)* erhalten geblieben sind, zu den 74 im Druck erschienen traten noch einige zum erstenmal in den «Urschriften» veröffentlichte hinzu, bekommen wir einen unmittelbaren Einblick in das geistige Geben und Nehmen, das diesen Kreis zusammenhielt. Als Briefempfänger begegnen uns neben Abraham von Franckenberg, den Ärzten Balthasar Walther, Gottfried Freudenhammer, Johann Daniel von Koschowitz, Friedrich

Krause und dem Görlitzer Tobias Kober, die Landedelleute Abraham von Sommerfeld, Karl von Ender, Hans von Schellendorff, Johann Siegismund von Schweinichen auf Schweinhaus, ferner Tuchmacher, Zolleinnehmer, Münzmeister und Schloßverwalter sowie eine Anzahl Ungenannter. Im Jahre 1620 schreibt Böhme an Abraham von Sommerfeld: *Es ging mit mir, gleich wann ein Korn in die Erde gesäet wird, so wächst das hervor in allem Sturm und Ungewitter, wider alle Vernunft.*[199] Als *Gottes Schickung* betrachtet Böhme die Tatsache, daß sein Buch *Morgenröte* ohne sein Dazutun, ja trotz harter Angriffe seinen Gang in die Welt angetreten hat: *Will derowegen niemand turbieret haben, sondern erkenne, daß es Gottes Schickung also sei, sonst wäre dieses Buch wohl noch im Winkel; also ist es über meinen Bewußt und Willen publizieret worden, und darzu von den Verfolgern selber, welches ich für eine Gottesschickung erkenne; denn die Leute, so es haben, habe ich nie erkannt.*[200] Und er fügt bezeichnenderweise hinzu, er, Böhme, habe diesen seinen Erstling selbst nicht in Händen. Es seien ihm aber wiederholt Kopien davon zu Gesicht gekommen, die andere angefertigt haben. Deshalb notiert er: *Mich wundert auch gleich, wie E. Gestr. und andere mehr in Schlesien meine Schriften bekommen haben, denn mir derselben keiner bekannt ist; und halte mich doch auch so stille damit, daß die Bürgerschaft allhier* (d. h. Görlitz) *nichts davon weiß ... Nun erkenne ich doch hiermit Gottes Weg und verstehe, daß es nicht allein in Schlesien, sondern auch in anderen Ländern ist bekannt worden, ohne Vorwissen des Autoris ... Mein Rat war, solches mein Leben lang bei mir alleine zu behalten, und habe es auch nur für mich geschrieben.*[201]

Bei der *Morgenröte im Aufgang* mag diese Beteuerung durchaus zutreffen. In den späteren Werken hat der Autor zumindest auch an die Empfänger seiner Buchmanuskripte gedacht, als er sich bemühte, das Geschaute, Unsagbare seiner Botschaft sagbar zu machen. Ob er in seiner ganzen Tiefe und Abgründigkeit auch von seinen glühendsten Anhängern immer verstanden worden ist, mag man bezweifeln. Immerhin ist die Kunde von ihm weit verbreitet worden. Abraham von Franckenberg, Böhmes erster Biograph, ist vor anderen zu nennen. Nach einem Jurastudium hatte er sich der Lektüre mystischer Schriften gewidmet, begegnete Böhme und machte eine innere Umkehr durch. Er wurde in Schlesien, später in Danzig und Westpreußen zum Mittelpunkt eines mystischen Zirkels, in dem man sich neben Böhme mit Paracelsus, Schwenckfeld, Weigel, der hebräischen Kabbala und mit den Schriften des Dominikaners Giordano Bruno beschäftigte, der im Jahre 1600 seiner modernen naturphilosophischen Anschauungen wegen den Scheiterhaufen hatte besteigen müssen. Abraham von Franckenberg war es auch, der sowohl den «Angelus Silesius» Johannes Scheffler (im Todesjahr Böhmes geboren, gest. 1677) wie den schlesischen Barockdichter Daniel Czepko von Reigersfeld (1605–60) beeinflußt und mit Böhmes Gedanken bekannt gemacht hat. In den Niederlanden, wo man sich des literarischen Nachlasses Böhmes mit besonderer Sorgfalt annahm, begegnete Scheffler den Schriften seines Landsmannes Böhme. Der Dichter des «Cherubinischen Wandersmannes» gesteht:

Im Wasser lebt der Fisch, die Pflanzen in der Erden,
Der Vogel in der Luft, die Sonn im Firmament.
Der Salamander muß im Feu'r erhalten werden:
Und Gottes Herz ist Jakob Böhmes Element.

Die Niederlande, wo sich eine Böhme-Gemeinschaft bildete, die sich von der traditionellen Kirche separierte, wurde die Zuflucht des aus Regensburg gebürtigen Johann Georg Gichtel (1638–1710), der sich um die Herausgabe der Werke Böhmes verdient gemacht hat. Seiner radikal pietistischen und kirchenkritischen Einstellung wegen ächteten ihn die orthodoxen Lutheraner und zwangen ihn zum Exil. Aus dem Werk Böhmes zog er freilich Konsequenzen, die auf einen asketischen Rigorismus mit einer Verleugnung des Leiblichen, vor allem des geschlechtlichen Lebens hinausliefen. Von Gichtel lassen sich wiederum Verbindungslinien zu dem vielgerühmten Kirchen- und Ketzerhistoriker Gottfried Arnold (1666–1714) ziehen, durch den Böhmes Sophien-Anschauung und Lehre von der Androgyn-Gestalt des Menschen neue Impulse empfing, bevor sich dieser Ideenzusammenhang in der neueren Geistesgeschichte weiter fortpflanzte.[202]

Um die Mitte des 17. Jahrhunderts faßten Böhmes Gedanken in England Fuß. Im Jahre 1654 brachte Durand Hotham die erste englische Böhme-Biographie heraus. Für die Übersetzung der Schriften sorgten John Sparrow und William Law. Die Ausgabe von 1645 und 1647 erfolgte unter der Protektion von König Karl I., einem Böhme-Verehrer. Eine Böhme-Begeisterung griff in England um sich. Man schlug den «Teutonicus» für einen neu anzulegenden Heiligenkalender vor. Henry More gab Böhme als «Apostel der Quaker» aus. Die Pilgerväter brachten Böhme-Schriften in die Neue Welt mit. John Milton und William Blake setzten Böhmes Ideen in ihrem dichterischen und künstlerischen Schaffen um. Gemeinschaftbildend wirkten die englischen Böhmisten, die sogenannten Philadelphen mit John Pordage (1607–81) und Jane Leade (1623–1704) an ihrer Spitze. Die philadelphische Bruderschaft, der ein ökumenischer Grundgedanke innewohnte, wirkte auf das Festland zurück. Auch in Deutschland blühten philadelphische Kreise auf. Die Schriften der englischen Böhmeaner erschienen in deutscher Übersetzung. Der charismatisch begabte evangelische Pfarrer Johann Friedrich Oberlin (1740–1826), Seelsorger des Steintals im Elsaß, gehört zu denen, die durch Vermittlung der englischen Philadelphen mit Böhmes Geist in Berührung kamen.[203]

In welch fruchtbarer Weise sich empirische Naturforschung mit den Ergebnissen der geistigen Schau zu verbinden vermochte, zeigt das Beispiel von Sir Isaac Newton (1643–1727), der schon in seiner Jugend auf Böhme aufmerksam wurde. Es liegen eine Reihe von Arbeiten vor, die zeigen, worin die nachhaltige Wirkung des Schusters auf den Naturforscher bei der Konzeption der Gravitationslehre bestanden haben muß.[204] «Newton, der große Philosoph, muß notwendig Jakob Böhm auch aufs fleißigste geprüft haben, denn zu seiner Attraktionslehre hat er in Jakob Böhm seinen ersten Stoff angetroffen.» Diese Feststellung, die durch andere belegt worden ist, hat der bedeutende schwäbische

Isaac Newton. Anonymer Stich

Theologe und Naturphilosoph Friedrich Christoph Oetinger (1702–82)
ausgesprochen. Er, den man im Gegenüber zu Hamann als den «Magus
des Südens» bezeichnen könnte, ist selber schicksalhaft mit dem Werk
des Görlitzers in Berührung gekommen. In seinen autobiographischen
Aufzeichnungen schildert er: «Durch Gottes Schickung geschah es, daß
ich, um mich zu erholen, oft an der Pulvermühle in Tübingen vorbeiging.
Da traf ich als den größten Phantasten den Pulvermüller [Johann Kaspar
Obenberger] ... Er sprach: ‹Ihr Kandidaten seid gezwungene Leute, ihr
dürft nicht nach der Freiheit in Christus studieren ... Es ist euch doch
verboten, in dem allervortrefflichsten Buch nach der Bibel zu lesen!› Ich
sprach: ‹Wieso?› Er bat mich in die Stube, zeigte mir Jakob Böhme und

Friedrich Schlegel.
Stich von J. Axmann nach einer
Zeichnung von Auguste Buttlar

Ludwig Tieck.
Zeichnung von Vogel
von Vogelstein

sagte: ‹Das ist die rechte Theologie!› Ich las das erste Mal in diesem Buch.»²⁰⁵ Es blieb nicht beim bloßen Lesen. Böhme bedeutete für den schwäbischen Theosophen eine Lebenswende.

Charakteristisch für Oetingers universale, den ganzen Kosmos umgreifende Betrachtungsart ist der vielzitierte Satz von der «Leibwerdung» als dem «Ende der Wege Gottes». In dieser spirituellen Wirklichkeitsschau, die eine entschiedene Absage an jegliche spiritualistische Verflüchtigungstendenz und Leibverneinung darstellt, kommt Böhmes Naturanschauung voll zur Geltung. Da Oetinger – sehr zum Verdruß seiner kirchlichen Vorgesetzten – für eine Ökumene des Geistes zu einem Zeitpunkt eintrat, als man in Schwaben und andernorts einer landeskirchlich begrenzten «Christlichkeit» den Vorzug gab, scheute er sich auch nicht, die Geistes- und Naturerkenntnis anderer unvoreingenommen zu überprüfen. So trat er nicht nur für das Bekanntwerden des nordischen Geistersehers und Gelehrten Emanuel Swedenborg in Deutschland ein, sondern leitete auch den Gedankenaustausch mit Vertretern der jüdischen Mystik, der Kabbala, ein, die Böhme selbst nicht unbekannt geblieben war. Als Oetinger Koppel Hecht, den bedeutenden Kabbalisten der jüdischen Kultusgemeinde, in Frankfurt aufsuchte, um näheren Aufschluß über die jüdische Esoterik zu erhalten, wurde ihm eine denkwürdige Antwort zuteil. Oetinger berichtet von Koppel Hecht: «Was die Kabbala betreffe, so hätten wir Christen ein Buch, das noch viel deutlicher von der Kabbala rede, als der Sohar. Ich fragte, welches? Er antwortete: Ja-

*Novalis (Friedrich von Hardenberg). Anonymes Gemälde,
vielleicht von Anton Graff. Schloß Weißenfels, Museum*

kob Boehm, und sagte mir gleich in Übereinstimmung seiner Redarten
mit den kabbalistischen.»[206] Gerschon G. Scholem, der profilierte Kenner
jüdischer Mystik in der Gegenwart, urteilt: «Es besteht kein Grund,
diese Erzählung für erdichtet zu halten; ist doch am Ende des 17. Jahrhunderts ein Jünger der Boehmeschen Mystik, Johann Jakob Spaeth,
von dieser erstaunlichen Affinität zur Kabbala überwältigt, sogar zum
Judentum übergetreten.»[207] Überdies hält Scholem einen Zusammenhang
der Ideen Böhmes mit der Welt der theosophischen Kabbala von Abraham von Franckenberg (gest. 1652) bis zu Franz Xaver von Baader (gest.
1841) für «noch durchaus evident».

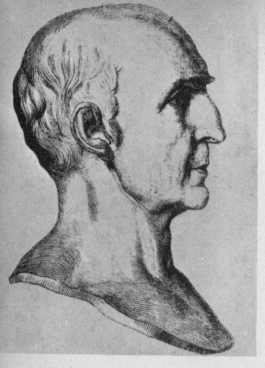

Schließlich ist an die schwäbischen Geistesahnen der idealistischen und romantischen Philosophie, zum Beispiel Hegels und Schellings, zu erinnern. Ihnen, diesen «Vorboten des Geistes» (Emil Bock), ist neben Johann Albrecht Bengel vor allem Oetinger zuzurechnen. Durch ihn empfingen sie Böhmes Gedankengut. Ernst Benz geht noch einen Schritt weiter, wenn er sagt: «In einem gewissen Sinn kann man die Philosophie des deutschen Idealismus als eine Böhme-Renaissance bezeichnen, da Böhme fast gleichzeitig von Schelling, Hegel, Franz von Baader, Tieck, Novalis und von vielen anderen entdeckt worden ist.»[208] Zweifellos wurde Böhme von den Dichtern und Denkern der deutschen Romantik wie ein Träger geheimer Offenbarung begrüßt und gefeiert. Am 2. Dezember 1798 schreibt Friedrich Schlegel an Novalis: «Tieck studiert den Jakob Böhme mit großer Liebe. Er ist da gewiß auf dem rechten Wege.»[209] Von Böhmes Philosophie sagte Schlegel, «keine ist so reich an Allegorie und sinnbildlicher Darstellung», vor allem im Hinblick auf das Christentum. Bei Friedrich von Hardenberg fiel diese Anregung auf fruchtbaren Boden. Anfang 1800 vertieft er sich in die Werke Böhmes. Es ist die Zeit, in der er den ersten Teil seines Romanfragments «Heinrich von Ofterdingen» niederschreibt. In einigen Gedichten besingt Novalis den Künder der «Morgenröte» und den Herold eines «neuen Reiches». Ludwig Tieck widmet er Strophen, in denen Gedanken und Metapher der *Morgenröte im Aufgang* anklingen. Das Gedicht endet:

. . .
Die Zeit ist da, und nicht verborgen
Soll das Mysterium mehr sein.
In diesem Buche bricht der Morgen
Gewaltig in die Zeit hinein.

Verkündiger der Morgenröte,
Des Friedens Bote sollst du sein,
Sanft wie die Luft in Harf' und Flöte
Hauch' ich dir meinen Atem ein.

Du wirst das Reich verkünden,
Das tausend Jahre soll bestehn;
Wirst überschwenglich Wesen finden
Und Jakob Böhmen wiedersehn.[210]

Der Physiker Johann Wilhelm Ritter (1776–1810) schließt sich hinsichtlich der Böhme-Nachfolge den Dichtern an. 1802 lernt auch der
Maler Philipp Otto Runge Böhme kennen. Seine «Tageszeiten» lassen
sich als eine optische Darstellung Böhmeschen Geistes deuten. Auch in
seiner Eros-Philosophie findet Böhme in dem Künstler einen Gefolgs-
mann, wenn Runge an Tieck schreibt: «Das Ich und Du wird nur im
Tode verbunden; daraus entsteht der Mensch. Die Liebe tritt in die
Mitte zwischen Sehnsucht und Willen, zwischen Mann und Weib.»[211]
Immer klarer wird das Eros-Problem als ein Mysterium jener männlich-
weiblichen Ganzheit angeschaut (Androgynität), die Jakob Böhme beschrieben hat. Für den frühvollendeten Novalis wurde die göttliche
Sophia Böhmes mit seiner Braut, Sophie von Kühn, geradezu identisch,
als er die Formel prägte: «Christus und Sophie».

Eine Böhme-Renaissance hat in Deutschland Franz Xaver von Baader
(1765–1841) heraufgeführt, den August Wilhelm Schlegel einst als
«Bohemius redivivus» titulierte. Den Anstoß dazu gab der französische
Mystiker und Theosoph Louis Claude de Saint Martin (1743–1803). Vor
allem durch die Verdeutschung seines Werkes «Des erreurs et la vérité»
(«Irrtümer und Wahrheit»), die kein Geringerer als Matthias Claudius
(1782) besorgte, wurde Saint Martin zu einem Zeitpunkt in Deutschland
bekannt, als Böhme bereits weithin in Vergessenheit geraten war. Der
«unbekannte Philosoph», wie sich der Franzose mystifizierend nannte,
hatte noch als Fünfzigjähriger eigens Deutsch gelernt, um Böhme im
Original lesen und für seine Landsleute übersetzen zu können. Ähnlich
wie Claudius und nach ihm der in Erlangen wirkende Naturforscher
Gottlieb Heinrich von Schuberth, ein Freund Schellings und Baaders, so
trat auch Hamanns Freund Johann Friedrich Kleuker für Saint Martins
Bekanntwerden ein. Im Jahre 1792 fiel Kleukers «Magikon oder das
geheime System einer Gesellschaft unbekannter Philosophen» Franz
Xaver von Baader in die Hände. Dadurch wurde sowohl seine Bekannt-
schaft mit Saint Martin als auch mit dessen offenkundigem «éducateur»
Jakob Böhme herbeigeführt. Für den vielseitigen Münchner Philosophen
und Geologen bedeutete dies eine völlige Neuorientierung, eine Abkehr

von der Gedankenwelt Fichtes, Jacobis und Kants zugunsten seines «alten Schuhmachers». Baader verstand sich als Testamentsvollstrecker des Görlitzers. Böhmes prophetische Hinweise auf die bevorstehende Zeit einer umgreifenden Neuwerdung hielt Baader für angebrochen. In seinen Schriften, in akademischen Vorlesungsreihen schlug sich Böhmes Gedankengut nieder. Neben theosophisch-naturphilosophischen Vorstellungen ist es vor allem ein neues Verständnis des Erotischen. Böhme wurde für Baader zu einem Inaugurator einer Philosophie der Liebe. In den «Sätzen aus der erotischen Philosophie» bzw. in den «Vierzig Sätzen aus einer religiösen Erotik» (1831) haben sich diese neoböhmeschen Vorstellungen niedergeschlagen. Baader hat für geistige Kettenreaktionen gesorgt.

Im Mai 1806 kommt Schelling an die Münchner Universität. Beide Denker treten in einen lebhaften Austausch. Bereits am Ende des gleichen Jahres bekennt sich Schelling zu der neuen Richtung. Schelling, der dem Görlitzer Schuster «eine theogonische Natur» zuerkennt, hat ihm neben seinen «Weltaltern» in der «Philosophie der Offenbarung» einen Denkstein gesetzt, wenn er dort urteilt: «Man kann nicht umhin, von Jakob Böhme zu sagen, er sei eine Wundererscheinung in der Geschichte der Menschheit, und besonders in der Geschichte des deutschen Geistes. Könnte man je vergessen, welcher Schatz von natürlicher Geistes- und Herzenstiefe in der deutschen Natur liegt, so dürfte man sich nur an ihn erinnern, der über die gemeinpsychologische Erklärung, die man von ihm versucht, in seiner Art ebenso erhaben ist, wie es z. B. unmöglich wäre, die Mythologie aus geheimer Psychologie zu erklären. Wie die Mythologie, so ist Jakob Böhme mit der Geburt Gottes, wie er sie uns beschreibt, allen wissenschaftlichen Systemen der neueren Philosophie vorausgegangen.»[212]

In Böhmes Wirkungsgeschichte gehören neben Schelling und die Romantiker vor allem Hegel und Goethe hinein. Spricht Böhme von *Zeit und Ewigkeit*, von *äußerer und geistlicher innerer Welt*, genauer: von der Ewigkeit i n der Zeit bzw. von der geistlichen Welt i n der äußeren Welt, so ist es bei Hegel der Geist, «das Absolute», das die Identität von Subjekt und Substanz, von Denken und Sein verbürgt. Eine Einschränkung ergibt sich bei Hegel infolge der weltumspannenden Bedeutung des Logos, der gegenüber der irdische existierende Mensch und die empirische Ich-Erfahrung eine Nebenrolle zugewiesen erhalten. Für Böhme ist indessen klar – und hier legt sich ein Vergleich mit Hegel und Goethe nahe –, wenn er sagt: *Gleichwie in der äußeren Welt eine Natur und Wesen ist, also auch ist in der innern geistlichen Welt eine Natur und Wesen, welches geistlich ist, aus welchem die äußere Welt ausgehauchet und aus Licht und Finsternis erboren . . .*[213] Weiter: *Diese sichtbare Welt, mit allem ihren Heer und Wesen ist nichts anderes als nur ein Gegenwurf der geistlichen Welt, welche in dieser materialischen, elementarischen verborgen ist.*[214] Dabei ist, ähnlich wie bei Hegel, die Logos-Struktur alles Seienden im Sinne des Johannes-Evangeliums («Im Urbeginn war das Wort»; Joh. 1,1 f) von Böhme klar erkannt und in ihren naturphilosophischen Folgerungen bejaht: *Der Anfang aller Wesen ist das Wort als das Aushauchen Gottes gewesen.*[215] Wenngleich Böhme

Friedrich Wilhelm Joseph von Schelling.
Zeichnung von Franz Krüger

noch nicht über die Denk- und Sprachmittel verfügte, die dem Philosophen des Idealismus zu Gebote standen, so ist es doch derselbe Schlüssel, mit dem Böhme und Hegel einer Wirklichkeitserkenntnis das Tor öffnen. Der Hinweis auf die Licht–Finsternis- und die Gut–Böse-Polarität, die Böhme zum Schrecken aller orthodoxen Theologen bis in die Gottheit hinein verfolgt, begegnet bei Hegel, dann bei Marx und Engels und den Schülern der Links-Hegelianer, in anderer Form bei den «dialektischen Theologen», als Denkmethode und Aussageweise wieder. Dies wird man festhalten müssen, auch wenn bei Marx, Engels, Lenin auf der einen, bei Karl Barth, Emil Brunner oder Eduard Thurneysen auf der anderen Seite von einer Nachwirkung Böhmeschen Denkens am allerwenigsten die Rede sein kann.

Mit um so größerem Recht darf Goethe, der Naturforscher, der Natur-

Georg Wilhelm Friedrich Hegel.
Stahlstich von Sichling nach Sebbers

philosoph und Praktiker der «anschauenden Urteilskraft», als geistun-
mittelbarer Schüler des Görlitzer Schusters bezeichnet werden. Eine äußere literarische Anknüpfung hatte Goethe freilich nicht nötig gehabt.
Seine Naturanschauung erlangte er nicht aus Büchern, wohl aber aus
dem einen «Buch», das er, gleich Böhme, in der Natur aufgeschlagen
fand und in dem er mit den Augen des Geistes las. Was Böhme die
Lehre von den Signaturen und von den drei Prinzipien bedeutete, das
stellte sich dem Dichter in der Metamorphosenlehre dar. Für blasse ge-
dankliche Abstraktionen hatten beide wenig Verständnis. Beide waren
Augenmenschen. Anschauend, auf Grund eigener Erfahrung vermochte
Goethe in den Phänomenen das «Urphänomen», im Gestaltwandel der
Pflanzen die «Urpflanze» als schöpferische geistig-physische Wesenheit
zu erblicken. In dieser erkenntnismethodischen Hinsicht sind beide miteinander verwandt. Somit stehen auch all jene in einer geistigen Ahnen-
kette mit dem Philosophus teutonicus verbunden, die in der Nachfolge

Goethe. Kreidezeichnung von Ludwig Sebbers

Goethes, etwa in der mitteleuropäischen Kultur- und Geistesströmung des Goetheanismus, anschauend u n d denkend, «durch den Geist zur Wirklichkeitserkenntnis» (Rudolf Steiner) zu gelangen suchen, auch wenn sich Vertreter einer derartigen Erkenntnishaltung nicht immer ihres geistigen Ahnherrn bewußt sind.

Eine bewußte Böhme-Nachfolge ist schließlich auch bis in den russischen Raum hinein zu belegen. Ernst Benz hat darauf aufmerksam gemacht, daß es die protestantische Mystik war, durch die es zu einer unmittelbaren Verbindung zwischen der deutschen Reformation und der russischen Kirche gekommen ist.[216] Ähnlich wie die Schriften Valentin Weigels wurden auch Böhmes Bücher bald nach dessen Tod ins Russische übersetzt. Es entstanden kleine russische Böhme-Gemeinden, zum Beispiel in Moskau. Was innerhalb der orthodox ausgerichteten deutschen Landeskirchen nicht möglich war, suchten die Böhme-Schüler in der zweiten Hälfte des 17. Jahrhunderts über die landeskirchlichen Begrenzungen hinaus zu tragen: die Botschaft vom Anbruch der «Lilienzeit», die den Beginn einer umfassenden Erneuerung und Wiedergeburt anzeigen sollte. Freilich, der übersteigerte Enthusiasmus aus dem Westen mußte der russischen Staatskirche und deren Hütern suspekt erscheinen. Einer der extremen Böhme-Anhänger, Quirinus Kuhlmann aus Breslau, der durch die Lektüre von Böhmes Schriften zu visionären Erlebnissen gekommen war und der im Zarenreich «die wahre Jesusmonarchie» aufrichten wollte, wurde am 4. Oktober 1689 als Unruhestifter verbrannt. Dennoch konnten Böhmes Ideen im Zarenreich Fuß fassen. Wie sehr beispielsweise Zar Alexander I. Anfang des 19. Jahrhunderts das Schrifttum Böhmes, Saint Martins und Swedenborgs schätzte, geht aus einer ausführlichen Literaturempfehlung an seine Schwester Katharina Pawlowna, der späteren Gattin König Wilhelms I. von Württemberg, hervor.[217] Alexander I., der mit Franz Xaver von Baader, Jung-Stilling und der in pietistischen Kreisen wirksamen Barbara Juliane Freifrau von Krüdener in Verbindung stand, erstrebte eine auf religiöser Erweckung fundierte Reform Rußlands.[218] – Schließlich sind die beiden russischen Denker Wladimir S. Solowjow und Nikolaj A. Berdjajew zu erwähnen. Beide haben in Anlehnung an Böhme die androgyne und sophiologische Spekulation weitergeführt. In seiner philosophischen Autobiographie gesteht Berdjajew: «Von den großen deutschen Mystikern habe ich am allermeisten Jakob Böhme geliebt. Er hatte für mich ganz überragende Bedeutung.»[219]

Auf diese Weise hat der Görlitzer Schuster Jakob Böhme in der europäischen Geistesgeschichte unverkennbare Spuren hinterlassen und weiterwirkende Impulse gegeben. Wie wir gesehen haben, bezeichnet er die Richtung eines Erkenntnisweges, der zwischen Skylla und Charybdis eines mystizistisch verschwommenen erdflüchtigen Spiritualismus und eines die Realität des Geistigen verleugnenden Materialismus verläuft. Trotz mancher zeitbedingter Anschauungen finden sich bei diesem Mann des 17. Jahrhunderts eine Fülle von Wahrheitsmomenten, durch die er jenen Denkern voraus war, die sich mit Teilaspekten der Wirklichkeit begnügen. Wenn Gustav René Hocke[220] einmal davon sprach, daß sich der europäische Geist heute nicht mehr nur aus seinen äußeren, exoterischen Landschaften begreifen wolle, sondern vielmehr auch bis zu den esoterischen Bereichen seiner Seinsgründe einzudringen begehre, so mag dies Streben gegenwärtig nur von wenigen geteilt werden. Überflüssig geworden ist es deswegen nicht. Das geistige Erbe Jakob Böhmes verpflichtet, obwohl es kein Zurück zu Böhme geben kann. Der Philosophus teutonicus aber hat eine Realität der inneren und der äußeren Welt bezeugt, die in jeder Zeit neu gesucht und erkannt werden muß.

ANMERKUNGEN

Die Böhme-Zitate werden auf Grund der Gesamtausgabe von 1730 wiedergegeben und gemäß der dort üblichen Kapitel- und Abschnittszählung numeriert. Schreibweise und Zeichensetzung ist der heute üblichen angeglichen.

1 Paracelsus, zit. nach E. Kaiser: «Paracelsus». Reinbek 1969 (= rowohlts monographien. 149). S. 25
2 Dietrich Bonhoeffer: «Widerstand und Ergebung». München 1964. S. 177
3 *De signatura rerum* 1, 15 ff
4 a. a. O. 16, 48
5 A. von Franckenberg: Ausführlicher Bericht 27, in: J. Böhme, Sämtliche Schriften. Bd. 10. Stuttgart 1961
6 W.-E. Peuckert: «Das Leben Jacob Böhmes». Stuttgart 1961. S. 3
7 Über Schwenckfeld und Weigel vgl. W. Nigg: «Heimliche Weisheit». Zürich–Stuttgart 1959. S. 54 f bzw. 96 f
8 Franckenberg, a. a. O., S. 4
9 C. G. Jung: «Erinnerungen, Träume, Gedanken». Zürich 1963. S. 18 f, 21
10 *Morgenröte* 2, 17
11 Franckenberg, a. a. O., S. 9
12 Peuckert, a. a. O., S. 21
13 Franckenberg, a. a. O., S. 11
14 *Theosophische Sendbriefe* 54, 6
15 Ebd. 54, 6 f
16 Ebd. 12, 13
17 Ebd. 10, 6 u. 8
18 Ebd. 10, 4
19 Jung, a. a. O., S. 10
20 *Theos. Sendbriefe* 34, 7 f und 34, 19
21 Ebd. 73, 3 f
22 Ebd. 65, 3
23 Ebd. 12, 13
24 Ebd. 4, 38
25 Ebd. 20, 36
26 Ebd. 66, 8 f
27 Ebd. 55, 8
28 Ebd. 55, 17
29 *Morgenröte* 22, 105
30 Ebd. 22, 85
31 *Theos. Sendbriefe* 15
32 Ebd. 50, 7
33 Ebd. 53, 9
34 Hans Grunsky: «Jacob Böhme». Stuttgart 1956. S. 59
35 *Schutzrede wider Gregor Richter* 5
36 Ebd. 18 f
37 Ebd. 20
38 Ebd. 51
39 Ebd. 65
40 Ebd. 69
41 *Theos. Sendbriefe* 61, 14
42 Ebd. 63, 2
43 Ebd. 63, 3
44 Ebd. 63, 4
45 Ebd. 63, 9
46 Franckenberg, a. a. O., S. 29
47 E. Benz: «Die Vision». Stuttgart 1969. S. 17
48 M. Buber: «Ekstatische Konfessionen». Leipzig 1921. S. 12
49 *Morgenröte* 19, 6 f
50 *Trostschrift von vier Complexionen* 8
51 Ebd. 53
52 Ebd. 79 f
53 *Von der Menschwerdung Jesu Christi* II, 7, 11
54 Ebd. II, 7, 12
55 *Morgenröte* 19, 10
56 Ebd. 19, 11 f
57 Ebd. 21, 121
58 *Von wahrer Buße* I, 45
59 *Antistiefelius* 408 f
60 Vgl. D. S. Bailey: «Mann und Frau im christlichen Denken». Stuttgart 1963
61 Grunsky, a. a. O., S. 26
62 Apuleius: «Metamorphosen oder Der goldene Esel». Reinbek 1961 (= Rowohlts Klassiker. 96/97). S. 208
63 *Die drei Prinzipien*, Vorrede 21
64 *Vier Complexionen* 95
65 *Morgenröte* 19, 13
66 Ebd. 11, 67 f
67 Ebd. 11, 82
68 Ebd. 23, 84
69 Ebd. 22, 51
70 *I. Schutzschrift wider B. Tilke*, Vorrede 28
71 *Morgenröte* 13, 20
72 *Theos. Sendbriefe* 12, 6 f
73 *Morgenröte* 24, 74 f

74 Ebd. 25, 5 f
75 Ebd. 25, 2 f
76 Ebd. 20, 71
77 Ebd. 22, 40
78 Ebd. 20, 72
79 *Theos. Sendbriefe* 12, 9 f
80 *Morgenröte* 19, 15 f
81 *Theos. Sendbriefe* 10, 44
82 Ebd. 10, 45
83 C. G. Jung: «Psychologie und Alchemie». Zürich 1952. S. 25 (s. auch Gerhard Wehr: «C. G. Jung». Reinbek 1969 [= rowohlts monographien. 152]. S. 59 f)
84 *Morgenröte*, Vorrede (Rechenschaft) 1
85 *Mysterium Magnum* 9, 1
86 *Morgenröte*, Rechenschaft 4
87 *Theos. Sendbriefe* 10, 2 und 7
88 Ebd. 12, 12
89 *Beschreibung der drei Prinzipien* 4, 43
90 *I. Schutzschrift wider B. Tilke*, Vorrede 62
91 *Morgenröte* 4, 2
92 Ebd. 5, 18
93 Ebd. 26, 119
94 *Theos. Sendbriefe* 52, 2
95 Ebd. 34, 19
96 *Morgenröte* 25, 60 f
97 Ebd. 25, 43–50
98 Ebd. Vorrede 89
99 Ebd. 13, 26
100 *Beschreibung der drei Prinzipien* 2, 6
101 *Morgenröte*, Rechenschaft 14
102 *Sämtliche Schriften* (ed. W.-E. Peuckert), Bd. 10, S. 126–134
103 W. Buddecke, Urschriften Bd. II, S. 477
104 Catalogus 127
105 W. Buddecke, a. a. O., S. 484
106 *Theos. Sendbriefe* 10, 43 und 48
107 *Beschreibung der drei Prinzipien* 4, 64
108 *Von der Menschwerdung Jesu Christi* I, 12, 2
109 *Morgenröte*, Vorrede 1–8
110 Alfons Rosenberg: «Die christliche Bildmeditation». München-Planegg 1955. S. 256
111 *Morgenröte* 1, 1
112 Schlüssel (Clavis) 20 u. 22
113 Ebd. 23
114 Ebd.

115 *Vom dreifachen Leben* 7, 47
116 *Morgenröte* 2, 17
117 Ebd. 9, 9
118 Ebd. 26, 74
119 Ebd. 11, 37
120 Ebd. 9, 32
121 *Beschreibung der drei Prinzipien* 8, 12
122 *Theos. Sendbriefe* 12, 15
123 *Von der Menschwerdung* II, 1, 8
124 *Morgenröte* 3, 32
125 Ebd. 3, 33 f
126 Ebd. 11, 13
127 *Beschreibung der drei Prinzipien* 2, 5
128 Ebd. 5, 6
129 *Von der Gnadenwahl* 1, 6
130 *Schutzrede wider Gregor Richter* 16
131 Hierzu C. G. Jung: «Von den Wurzeln des Bewußtseins». Zürich 1954. S. 73 f
132 *Von der Gnadenwahl* 4, 2
133 *Vom dreifachen Leben des Menschen* 7, 23
134 Ebd. 7, 29
135 *Mysterium Magnum* 6, 10
136 Ebd., Vorrede 8
137 Ebd. 8, 24
138 Ebd. 2, 7
139 *Morgenröte* 17, 30 f
140 Ebd. 4, 7
141 Ebd. 16, 26 f
142 Ebd. 19, 64
143 *Mysterium Magnum* 10, 32
144 Ebd. 10, 33 f
145 *De signatura rerum*, Vorrede 4
146 Ebd. 1, 5
147 Ebd. 1, 6
148 F. Weinhandl in: «J. Böhme – Eine Lilie blühet über Berg und Tal». Stuttgart 1954. S. 26
149 *De signatura rerum* 1, 15 f
150 *Morgenröte* 8, 77 f
151 *Theos. Sendbriefe* 4, 26
152 *Morgenröte* 8, 73
153 Hippolyt, Elenchos V, 6, 6
154 Clemens Alexandrinus, Excerpta ex Theodoto 78, 2
155 *Beschreibung der drei Prinzipien*, Vorrede 1 f
156 Ebd., Vorrede 7
157 *Theos. Sendbriefe* 22, 7
158 *Von der Gnadenwahl* 5, 29 f
159 *Mysterium Magnum* 16, 4

160 *Beschreibung der drei Prinzipien* 10, 11

161 «Die fünf Bücher der Weisung, verdeutscht von Martin Buber in Gemeinschaft mit Franz Rosenzweig». Köln 1954. S. 11

162 Platon, Symposion 191 d

163 N. Berdjajew, zit. nach Benz: «Adam. Der Mythus vom Urmenschen». München-Planegg 1955. S. 7

164 E. Benz, Adam 51

165 *Von der Menschwerdung Jesu Christi* I, 5, 2

166 *Mysterium Magnum* 18, 2

167 Ebd. 18, 6 f

168 Ebd. 19, 4

169 Ebd. 19, 14

170 *Vom dreifachen Leben des Menschen* 9, 109

171 *Mysterium Magnum* 19, 7

172 *Vierzig Fragen von der Seele* 30, 59 f

173 *Morgenröte* 18, 80

174 Ebd. 25, 52

175 Ebd. 25, 54

176 *Von wahrer Buße* I, 1

177 Ebd. I, 10

178 Ebd. I, 12

179 Ebd. I, 38

180 Ebd. I, 34

181 a. a. O., *Vom heiligen Gebet* 36

182 *Von wahrer Buße* I, 25

183 Ebd. I, 1

184 *Gespräch einer erleuchteten und einer unerleuchteten Seele* 24

185 *Von wahrer Gelassenheit* 2, 16

186 Ebd. 2, 34

187 *Morgenröte* 5, 14–17

188 *Vom dreifachen Leben des Menschen* 12, 29

189 *Mysterium Magnum* 65, 50

190 *Schutzrede wider Gregor Richter* 49

191 Ebd. 46

192 Ebd.

193 Martin Buber: «Des Baal-Schem Unterweisung im Umgang mit Gott». In: Werke III. München–Heidelberg 1963. S. 52

194 Ernst Benz: «Ecclesia spiritualis». Stuttgart 1934 (Neudruck: Darmstadt 1964)

195 *Theos. Sendbriefe* 58, 7 f

196 *Mysterium Magnum* 28, 52

197 Ebd. 28, 56

198 Gerhard Wehr: «Spirituelle Interpretation der Bibel als Aufgabe». Basel 1968, und «Die Realität des Spirituellen». Stuttgart 1970

199 *Theos. Sendbriefe* 10, 7

200 Ebd. 10, 41

201 Ebd. 10, 25

202 Gottfried Arnold: «Das Geheimnis der göttlichen Sophia» (Leipzig 1700) – Neudruck: Stuttgart 1963

203 Alfons Rosenberg: «Der Christ und die Erde. Oberlin und der Aufbruch zur Gemeinschaft der Liebe». Olten–Freiburg i. B. 1953

204 K. Poppe: «Über den Ursprung der Gravitationslehre. J. Böhme, H. More, I. Newton». In: «Die Drei» 34. Jg. 1964, H. 5, S. 313–340

205 F. Chr. Oetinger: «Selbstbiographie» (Zeugnisse der Schwabenväter. Bd. I). Metzingen 1961. S. 36

206 a. a. O., S. 206; ferner E. Benz: «Christliche Kabbala». Zürich 1958. S. 27

207 G. Scholem: «Die jüdische Mystik in ihren Hauptströmungen». Frankfurt a. M. 1957. S. 260

208 E. Benz, Adam 23

209 Schlegel–Novalis: Briefwechsel (Hg. von M. Preitz). Darmstadt 1957. S. 140

210 Novalis, Schriften (Hg. von P. Kluckhohn und R. Samuel). Stuttgart–Darmstadt 1960. Bd. I, S. 411

211 Zit. bei F. Giese: «Der romantische Charakter». Langensalza 1919. Bd. I, S. 357

212 Schelling, Philosophie der Offenbarung (1858), 7. Vorlesung

213 *Von der neuen Wiedergeburt* 2, 2

214 *Von göttlicher Beschaulichkeit* 3, 35

215 Ebd. 3, 1

216 Ernst Benz: «Die russische Kirche und das abendländische Christentum». München 1966. S. 27 f

217 Text in: «Slawische Geisteswelt» (Hg. von M. Winkler). Darmstadt 1955. Bd. I, S. 160 f

218 Rosenberg, a. a. O.

219 Nikolaj A. Berdjajew: «Selbster-

kenntnis. Versuch einer philosophischen Autobiographie». Darmstadt–Genf 1953. S. 200

220 Gustav René Hocke: «Manierismus in der Literatur. Sprach-Alchimie und esoterische Kombinationskunst. Beiträge zur vergleichenden europäischen Literaturgeschichte». Hamburg 1959 (= rowohlts deutsche enzyklopädie. 82/83)

ZEITTAFEL

1575	Jakob Böhme wird als viertes Kind begüterter Bauersleute in Alt-Seidenberg bei Görlitz geboren. Der Vater Jakob, der einer alteingesessenen Familie entstammt, ist Kirchvater und Gerichtsschöffe. – Der Knabe besucht die Schule. Seiner schwächlichen Konstitution wegen erlernt er das Schuhmacherhandwerk bei einem Schuster in Seidenberg. Über seine Lehr- und Gesellenjahre ist nichts bekannt.
1599	24. April: Böhme erwirbt das Bürgerrecht von Görlitz, kauft eine «Schuhbank» auf dem Untermarkt und wird in die Schusterinnung aufgenommen.
	10. Mai: Eheschließung mit Katharina Kuntzschmann, einer Fleischhauerstochter.
	21. August: Erwerb eines Hauses vor dem Neißtor auf dem Töpferberg.
1600	29. Januar: Jakob, der älteste Sohn, wird geboren. – Böhmes großes Schauerlebnis angesichts eines Zinngefäßes
1610	Neuer Erleuchtungszustand. – Böhme bezieht ein neues Haus zwischen den Neißtoren.
1612	Anfang Januar bis Pfingsten: Niederschrift des ersten Werkes *Die Morgenröte im Aufgang . . . genannt Aurora*. Karl Ender von Sercha läßt ohne Wissen des Autors eine Abschrift anfertigen und kursieren.
1613	12. März: Verkauf der Schuhbank.
	Der Görlitzer Oberpfarrer Gregor Richter erfährt von der Abfassung der *Morgenröte* und kanzelt sein Gemeindeglied als gefährlichen Ketzer öffentlich ab.
	26. Juli: Verhaftung und kurze Inhaftierung durch den Magistrat. Das Buchmanuskript wird beschlagnahmt.
	30. Juli: Glaubensverhör vor dem Oberpfarrer und Schreibverbot. Die öffentliche Diffamierung durch Gregor Richter hält an.
1618	Beginn des Dreißigjährigen Krieges.
	Nachdem sich Böhme an das Verbot des Oberpfarrers und des Magistrats gehalten hat, gibt er dem Drängen seiner Freunde nach und setzt seine Aufzeichnungen fort.
1619	Als zweites Werk entsteht *Die Beschreibung der drei Prinzipien göttlichen Wesens (De tribus principiis)*.
	In Zusammenarbeit mit seiner Frau betreibt er einen Garnhandel; er ist geschäftlich viel unterwegs; in Prag wird er Zeuge des Einzugs des «Winterkönigs» Friedrich V. von der Pfalz.
1620	Besuche bei einflußreichen Freunden; Krankheit und Erschöpfung; in rascher Folge entstehen weitere Buchmanuskripte, die durch Freundeshand kopiert und unter interessierten Lesern verbreitet werden.
1621–1623	Neben vertraulichen Gesprächen mit Freunden über Fragen der Seelenführung und des geistlichen Lebens auch Disputationen. Böhme tritt Kritikern entgegen; es entstehen apologetische Schriften. Zu den Hauptwerken dieser Jahre gehören:
	Von dem dreifachen Leben des Menschen
	Vierzig Fragen von der Seelen
	Von der Menschwerdung Jesu Christi
	Sechs theosophische Punkte
	De signatura rerum
	Von der Gnadenwahl
	Mysterium Magnum

Ein reger brieflicher Gedankenaustausch, niedergelegt in den *Theosophischen Sendbriefen*, verbindet Böhme mit einem ausgedehnten Schüler- und Freundeskreis.

Januar: Johann Siegismund von Schweinichen läßt Böhmes *Der Weg zu Christo* bei Johann Rhamba, Görlitz, im Druck erscheinen.

März: Gregor Richter, der davon erfährt, greift Böhme in einem lateinischen Schmähgedicht, in Pamphleten und Hetzreden an. Abermals Verhandlung vor dem Magistrat. Böhme läßt sich einschüchtern und weicht dem Drängen, Görlitz zeitweilig zu verlassen.

Mai: Einladung an den kurfürstlich sächsischen Hof. Reise nach Dresden. Die Gespräche mit Regierungsbeamten und Offizieren haben aber nicht den erhofften offiziellen Charakter; auch das Colloquium bzw. die Audienz beim Kurfürsten unterbleibt.

Die Böhme-Familie in Görlitz ist den Anfeindungen der aufgehetzten Bürger schutzlos ausgesetzt.

24. August: Gregor Richter stirbt.

Herbst: Letzte Besuchsreise bei schlesischen Freunden.

7. November: Böhme kehrt schwerkrank und schwach nach Görlitz zurück. Freunde, darunter der Görlitzer Arzt Tobias Kober, betreuen den Todkranken. Auf dem Sterbebett muß Böhme ein abermaliges Glaubensverhör über sich ergehen lassen, bevor man ihn kommunizieren läßt.

17. November: Jakob Böhme stirbt in seinem Görlitzer Haus an der Neißebrücke.

Da sich Oberpfarrer Nikolaus Thomas weigert, die kirchliche Beerdigung seines Gemeinglieds vorzunehmen, muß Tobias Kober durch Stadtratsbeschluß die Durchführung des Trauergottesdienstes erzwingen.

Der Pöbel zerstört und besudelt das Grabkreuz, das Böhmes Freunde gestiftet haben.

ZEUGNISSE

KARL I. VON ENGLAND

Sei Gott Lob, daß noch Menschen gefunden werden, die von Gott und
einem Wort ein lebendiges Zeugnis aus der Erfahrung geben können
[wie Jakob Böhme].

1646

ABRAHAM VON FRANCKENBERG

Zu beschreiben den gottseligen Lebenslauf dieses von Gott hochbegnadeten Zeugen und teutschen Wundermannes Jacob Böhme möchte wohl ein
klugsinniger und ansehnlicher Zierredner vonnöten sein ... Niemand
stoße sich an diesem Eckstein der Einfalt, daß er nicht zerschellet werde,
sondern richte sich vielmehr daran auf!

Ausführlicher Bericht von Jakob Böhmes Leben. 1651

ANGELUS SILESIUS

Daß ich aber etliche Schriften von Jakob Böhme gelesen, weil einem in
Holland allerlei unter Handen kommt, ist wahr, und ich danke Gott dar-
vor. Denn sie sind groß Ursach gewest, daß ich zur Erkenntnis der
Wahrheit kommen.

Schutzrede für die Christenheit. 1664

NOVALIS

. . .
Du wirst das Reich verkünden,
Das tausend Jahre soll bestehn;
Wirst überschwenglich Wesen finden
Und J a k o b B ö h m e n wiedersehn.

An Tieck

LOUIS CLAUDE DE SAINT MARTIN

Jakob Böhme hat die außerordentlichsten und staunenswertesten Mit-
teilungen niedergelegt ... Ich glaube, dem Leser einen Dienst zu erweisen, wenn ich ihm rate, sich mit diesem Schriftsteller bekannt zu
machen, ihn aber besonders einlade, sich vor allem mit Geduld und Mut
zu rüsten, um durch die wenig geordnete Form seiner Werke, durch die
äußerste Abstraktheit der Materie, die er behandelt, sowie die Schwierig-
keiten, seine Ideen wiederzugeben, die er selbst eingesteht, nicht zurück-
gestoßen zu werden, da die meisten in Frage stehenden Gegenstände in

den uns bekannten Sprachen keinen entsprechenden Namen haben . . .
Leser, wenn du dich entschließt, mutig aus den Werken dieses Schrift-
stellers zu schöpfen, der von den Gelehrten der Welt für einen Wahn-
witzigen gehalten wird, sicherlich wirst du der meinigen nicht bedürfen.

Œuvres posthumes. 1807

G. W. F. Hegel

Die Grundidee bei ihm (dem ersten deutschen Philosophen) ist das Stre-
ben, alles in einer absoluten Einheit zu erhalten – die absolute göttliche
Einheit und die Vereinigung aller Gegensätze in Gott . . . Ein Haupt-
gedanke Böhmes ist, daß das Universum e i n göttliches Leben und
Offenbaren Gottes in allen Dingen ist – näher: daß aus dem e i n e n
Wesen Gottes, dem Inbegriff aller Kräfte und Qualitäten, der Sohn ewig
geboren wird, der in jenen Kräften leuchtet: die innere Einheit dieses
Lichts mit der Substanz der Kräfte ist der Geist.

Vorlesungen über die Geschichte der Philosophie. 1817

Franz Xaver von Baader

Wenn ich hier unseren Philosophus Teutonicus den Reformator der Re-
ligionswissenschaft nenne, so antizipiere ich hiemit eine jedoch nicht
mehr ferne Zukunft und behaupte nur, daß bei einer solchen rein wissenschaftlichen Reformation Jakob Böhmes Schriften und Prinzipien vor-
zügliche Dienste leisten werden . . . Ich will wenigstens einige tüchtige
Köpfe überzeugen, daß gerade bei der dermaligen idealen Richtung der
Philosophie in Deutschland ein ferneres Ignorieren dieser Schriften nur
dem Ignoranten hingehen kann.

Fermenta Cognitionis. 1822

Es macht mir wahre Lust, unsere weltweisen Narren recht mit diesem
Schuster zu ärgern.

An Varnhagen von Ense. 1822

Ludwig Feuerbach

Jakob Böhme ist der lehrreichste und zugleich interessanteste Beweis,
daß die Mysterien der Theologie und Metaphysik in der Psychologie
ihre Erklärung finden . . . denn alle seine metaphysischen und theosophischen Bestimmungen und Ausdrücke haben patho- und psychologischen
Sinn und Ursprung.

1847

Martin Buber

Feuerbach will die Einheit, von der er spricht, auf die Realität des Unterschieds von Ich und Du gestützt sehen. Wir aber stehen heute Böhme
näher als der Lehre Feuerbachs, dem Gefühle des heiligen Franziskus,
der Bäume, Vögel und Sterne seine Geschwister nannte.

Über Jakob Böhme. 1901

Rudolf Otto

Nicht um seiner Theosophie willen ist Böhme religionsgeschichtlich be-
langreich, sondern deswegen, weil sich bei ihm hinter ihr als wertvolles
Element das lebhafte Gefühl des Numinosen regte und er in dieser Hinsicht ein Erbe Luthers selber wahrte, das in dessen Schule abhanden kam.
Denn diese selber ist dem Numinosen im christlichen Gottesbegriffe nicht
gerecht geworden. Die Heiligkeit und den «Zorn Gottes» vereinseitigte
sie durch moralistische Deutung ... Das Begriffliche und das Doktrinäre,
das Ideal der «Lehre» überwog dem Unaussprechlichen nur im Gefühl
Lebenden, dem lehrhaft nicht Tradierbaren. Die Kirche wurde Schule.

Das Heilige. 1917

Egon Friedell

Selbst in dem vollkommensten philosophischen Antipoden Montaignes,
dem schwerblütigen und eigensinnigen, dumpfen und dunklen Jakob
Böhme lebt etwas von Montaigneschem Geiste. Denn keiner hat das
Prinzip der coincidentia oppositorum, der Widersprüchlichkeit der Welt
und des Menschen, so bohrend durchdacht und so allseitig beleuchtet wie
dieser tiefgründige Schustermeister ...

Kulturgeschichte der Neuzeit. 1927

Leopold Ziegler

Jakob Böhmes Schriftchen «Von der Gnadenwahl» möchte ich zu den
tiefsten Erleuchtungen der ganzen Christenheit rechnen.

An Reinhold Schneider. 1941

Werner Elert

J. Böhmes Schrifttum wendet zum erstenmal das Bibeldeutsch als Ausdruck der Philosophie an – mit einer Vollkommenheit, wie es nachmals
nur noch Goethe und Nietzsche vermocht haben. Schwerlich hätte später
Hegel den Inhalt der Philosophie Jacob Böhmes als «ächt deutsch» bezeichnen können, wenn sie sich statt der deutschen der lateinischen Sprache bedient hätte.

Morphologie des Luthertums. 1953

EMANUEL HIRSCH

Man darf Böhme wohl als Höhe- und Endpunkt einer aus Luthers Reformation entsprungenen prophetisch-mystischen Seitenbewegung bezeichnen. Aber eben als solcher ist er auch ein geschichtliches Mittelglied
zwischen jener alten Bewegung und der am Ende des 17. Jahrhunderts
aufspringenden neuen. Durch die Gewalt und Tiefe seines Geistes ist er –
vor allem, seitdem 1682 zu Amsterdam seine gesammelten Schriften erschienen – von unübersehbarem Einfluß auf alle religiös Unruhigen, über
die Kirche und auch über den kirchlichen Pietismus Hinausstrebenden,
unserer Epoche geworden. Unter theologiegeschichtlichem Gesichtspunkt
ist er als der Vater des radikalen Pietismus anzusprechen.

Geschichte der neuern evangelischen Theologie. 1949–1954

WILL-ERICH PEUCKERT

Sein Leben war eingezwängt in die Enge. Darum verlangte ihn in die
Himmel, die Weiten, die Fernen und in die Tiefe ... Nicht, was er gefunden hat, ist das Bleibende. Er geht uns als Philosoph nichts mehr an,
und er ist kein Theologe gewesen. Erschütternd ist vielleicht noch sein
Wille, mit dem er nach Gott gegriffen hat. Erschütternd ist noch die
Kraft seiner Dichtung. Lebendig aber ist Böhme, der einfache Bauer, der
alle Angst seines Herzens ausschüttete, bis er zur Ruhe in Gott gefunden.

Jakob Böhme. 1961

ERNST BENZ

Jacob Boehme wußte noch nichts von Paläoanthropologie und hat noch
keine Kinnbacken fossiler Hominiden gesammelt, aber er hat deutlicher
als Teilhard den Grundgedanken der christlichen Anthropologie ausgesprochen.

Schöpfungsglaube und Endzeiterwartung. 1965

WILLIAM BOSSENBROOK

Böhme ist das wichtigste Bindeglied in der Reihe der Denker, die sich
von Eckehart bis Hegel erstreckt; er verband die Ideen von Eckehart,
Nikolaus von Cues, Paracelsus und Luther und formte sie zu einer
Theosophie um, die im Laufe der Säkularisierung, der sie von Leibniz
bis Hegel unterzogen wurde, jene Merkmale annahm, die im allgemeinen als der spezifisch deutsche Beitrag zur Philosophie angesehen werden.

Geschichte des deutschen Geistes. 1963

BIBLIOGRAPHIE

Die gebräuchlichste, vollständigste und im Text zuverlässigste Böhme-Gesamtausgabe ist die des Jahres 1730. Sie ist durch die von Werner Buddecke im
Auftrag der Akademie der Wissenschaften zu Göttingen herausgegebenen «Urschriften» zu ergänzen. Ein Verzeichnis der Jakob Böhme-Handschriften stellte
Buddecke ebenfalls zusammen. Er hat auch ein ausführliches beschreibendes
Verzeichnis der Böhme-Ausgaben (vgl. Bibliographie) geliefert. Es umfaßt alle
bis 1957 zugänglich gewordenen Ausgaben in deutscher Sprache sowie lateinische, holländische, englische, walisische, französische, italienische, dänisch-
norwegische, schwedische und russische Übersetzungen.

1. Gesamtausgaben

Des Gottseeligen Hoch- / Erleuchteten / JACOB BÖHMENS / Teutonici Philosophi / Alle / Theosophische Wercken . . . Zu Amsterdam / Gedruckt im Jahr
Christi / 1682 (Bd. 1–15)

THEOSOPHIA. REVELATA. / Das ist: / Alle Göttliche Schriften / Des Gott-
seligen und Hocherleuchteten / Deutschen THEOSOPHI / Jacob Böhmens . . .
In Beyfügung des Autoris J. B. erweiterten Lebens-Lauffes / und nöthigen
Registern. // Gedruckt im Jahre der Verkündigung des grossen Heyls 1715

THEOSOPHIA REVELATA. / Das ist: / Alle Göttliche Schriften / des Gott-
seligen und Hocherleuchteten Deutschen THEOSOPHI / Jacob Böhmens . . .
Anbey mit des Hocherleuchteten nunmehro seligen Mannes Gottes / JOHANN
GEORG GICHTELS, / Eines Gottseligen und erfahrenen Kenners dieser Schrif-
ten, / Geistreiche Summarien und Inhalt jeden capitels, dem Gottbegierigen
Leser zu einem / ausgebornen Lichte im Verstande des Gemüths / ausgezieret.
In Beyfügung des auctoris J. B. ausführlich-erläuterten Lebens-Lauffes und
dienlichen Registern. // Gedruckt im Jahre des ausgebornen grossen Heils 1730
(Bd. 1–14)
Hiervon Faksimile-Ausgabe Jacob Böhme: Sämtliche Schriften. Stuttgart 1955 f

Jacob Böhme: Sämtliche Schriften. Faksimile-Neudruck der Ausgabe von 1730
in 11 Bänden begonnen von AUGUST FAUST, neu herausgegeben von WILL-
ERICH PEUCKERT. Stuttgart 1955–1961
1. Band: Aurora oder Morgenröte im Aufgang (1612)
2. Band: De tribus principiis, oder Beschreibung der drei Prinzipien göttlichen
Wesens (1619)
3. Band: De triplici vita hominis, oder Vom dreifachen Leben des Menschen
(1620)
Psychologia vera, oder Vierzig Fragen von der Seelen (1620)
4. Band: De incarnatione verbi, oder Von der Menschwerdung Jesu Christi
(1620)
Sex puncta theosophica, oder Von sechs theosophischen Punkten (1620)
Sex puncta mystica, oder Kurze Erklärung sechs mystischer Punkte (1620)
Mysterium pansophicum, oder Gründlicher Bericht von dem irdischen und
himmlischen Mysterio (1620)
Christosophia, oder Der Weg zu Christo (Druck 1624)
5. Band: Libri Apologetici, oder Schutzschriften wider Balthasar Tilke (1621)
Antistiefelius, oder Bedenken über Esaiä Stiefels Büchlein (1621/22)
Apologia contra Gregorium Richter, oder Schutz-Rede wider Gregorium
Richter (1624)
Informatorium novissimorum, oder Unterricht von den letzten Zeiten
(1620)

6. Band: De signatura rerum, oder Von der Geburt und Bezeichnung aller Wesen (1622)
   De electione gratiae, oder Von der Gnadenwahl (1623)
   De testamentis Christi, oder Von Christi Testamenten (1623)
7. Band: Mysterium Magnum, oder Erklärung über das erste Buch Mosis, Kap. 1–43 (1623)
8. Band: Mysterium Magnum; Kap. 44–78 (1623)
9. Band: Quaestiones theosophicae, oder Betrachtung göttlicher Offenbarung (1624)
   Tabulae principiorum, oder Tafeln von den drei Prinzipien göttlicher Offenbarung (1624)
   Clavis, oder Schlüssel, das ist eine Erklärung der vornehmsten Punkte und Wörter, welche in diesen Schriften gebrauchet werden (1624)
   Epistolae theosophicae, oder Theosophische Sendbriefe (1618–1624)
10. Band: De Vita et Scriptis Jacobi Böhmii, oder Historischer Bericht von dem Leben und Schriften Jacob Böhmes
    Das Leben Jacob Böhmes, von Will-Erich Peuckert (2. verb. Aufl. 1961)
11. Band: Register über alle theosophischen Schriften Jacob Böhmes (1730)

Jakob Böhme's sämmtliche Werke herausgegeben von K. W. SCHIEBLER. Bd. 1–7 Leipzig 1831–1847

Während die Schieblersche Ausgabe mehr dem praktischen Zweck dienen sollte, ist die von Johann Wilhelm Ueberfeld herausgegebene Ausgabe von 1730 noch auf der Basis der Erstausgaben und Handschriften erstellt worden. Näheres bei Buddecke: Die Jakob Böhme-Ausgaben, 1. Teil, S. 34 f und 41 f. Über diese im Faksimile-Druck erneut vorliegende Ausgabe schreibt Buddecke: «Die Urteile aller Kenner der vorliegenden Ausgabe stimmen darin überein, daß sie an Vollständigkeit und Genauigkeit sowohl die früheren als auch die späteren übertrifft. Sie ist, obwohl kritische Ansprüche seitens der Philosophie und besonders der Sprachforschung eine erneute Bearbeitung notwendig erscheinen lassen, bis heute die maßgebliche Gesamtausgabe.»

2. Urschriften

Jacob Böhme: Die Urschriften
Im Auftrag der Akademie der Wissenschaften zu Göttingen herausgegeben von WERNER BUDDECKE
Band I. Stuttgart 1963
Morgenröte im Aufgang
An Paul Kaym (1. Brief)
Erste Schutzschrift gegen Tilke (Bruchstück)
Ein Büchlein. Von der wahren Gelassenheit

Band II. Stuttgart 1966
Von der Gnadenwahl
Eine kurze Andeutung von dem Schlüssel zum Verstande göttlicher Geheimnisse
Von Christi Testamenten (1. und 2. Fassung)
Epistola oder Sendbrief
Apologia (wider Gregor Richter)
Gebetbüchlein
Sendbriefe
Ungedruckte Sendbriefe
Ungedruckte Briefteile
Anhänge

3. Auswahlbände

Jakob Böhme. Sein Leben und seine theosophischen Werke. Dargeboten durch JOHANNES CLAASSEN, in drei Bänden. Stuttgart 1885
Hierüber urteilt W. Buddecke: «Die Arbeit Claassens ist der letzte Versuch, das Werk Böhmes in einem umfassenden Auszug wiederzugeben. Er übertrifft die früheren, wenn nicht durch den Geist der Nachfolge Böhmes, so doch vielleicht durch die Vollständigkeit und Sorgfalt der Auswahl und durch die Geschlossenheit der Darstellung.»

Jakob Böhme: Morgenröte im Aufgang, Von den drei Prinzipien, vom dreifachen Leben. Hg. und eingel. von JOSEPH GRABISCH. München 1905; 1912; 1921

Schriften Jakob Böhmes. Ausgewählt und hg. von HANS KAYSER. Leipzig 1920; 1923 (Der Dom. Bücher der deutschen Mystik)

Worte Jakob Böhmes ... Hg. von HEINRICH BORNKAMM. Görlitz 1924

Morgenröte. Jakob Böhme in einer Auswahl aus seinen sämtlichen Schriften. Hg. von ALFRED WIESENHÜTTER. Berlin 1925

Jakob Böhme Brevier. Hg. von HEINRICH BORNKAMM. Frankfurt a. M. 1936 und Berlin 1941

Vom Geheimnis des Geistes. Hg. von FRIEDRICH ALFRED SCHMID NOERR. Leipzig 1937

Jakob Böhmes Schriften. Ausgewählt, übertragen und eingeleitet von FRIEDRICH SCHULZE-MAIZIER. Leipzig 1938

Böhme-Brevier. Gestaltet und eingeleitet von FRIEDRICH SCHULZE-MAIZIER. Leipzig 1939

Jakob Böhme: Über die Umkehr und die Einsicht. Hg. von ANTON BRIEGER. Salzburg 1953 – 2. Aufl. Pforzheim o. J.

Jakob Böhme: Eine Lilie blüht über Berg und Tal. Grundtexte des Mystikers Jakob Böhme, ausgewählt und eingeführt von FERDINAND WEINHANDL. Stuttgart 1954

So spricht Jakob Böhme. Eine Auswahl bearbeitet von EWALD KLIEMKE. München-Planegg 1956 (Lebendige Quellen zum Wissen um die Ganzheit des Menschen. 25)

Glaube und Tat. Eine Auswahl aus dem Gesamtwerk Jakob Böhmes von EBERHARD HERMANN PÄLTZ. Witten 1957

Jakob Böhme, der schlesische Mystiker. Einleitung und Auswahl von CHARLES WALDEMAR. München 1959

Jakob Böhme. Ausgewählte Schriften. Hg., übertragen und eingeleitet von GERHARD STENZEL. Gütersloh o. J. [1960]

Der Protestantismus des 17. Jahrhunderts (Klassiker des Protestantismus. Bd. V) Hg. von WINFRIED ZELLER. Bremen 1962. S. 197–235

SCHWAGER, HANS JOACHIM: Die deutsche Mystik und ihre Auswirkungen. Von Meister Eckart bis Schelling. Gladbeck 1965

4. Darstellungen zu Leben und Werk

ADLER, CURT: Zur Feststellung der Geburtsstätte Jacob Böhmes in Altseidenberg. In: Neues Lausitzisches Magazin. Görlitz 1924. Bd. 100, S. 173–178

BARTSCH, GERHARD: Jakob Böhme. In: GROPP-FIEDLER (Hg.), Von Cusanus bis Marx. Deutsche Philosophen aus fünf Jahrhunderten. Leipzig 1965

BENZ, ERNST: Der Prophet Jacob Boehme. In: Abhandlungen der geistes- und sozialwissenschaftlichen Klasse der Akademie der Wissenschaften und Literatur Nr. 3. Mainz 1959

BORNKAMM, HEINRICH: Jakob Böhme, der Denker. In: BORNKAMM, Das Jahrhundert der Reformation. Göttingen 1966. S. 332–345

BORNKAMM, HEINRICH: Jakob Böhme. In: Die Großen Deutschen Bd. I, 1956, S. 500–513; ferner in: BORNKAMM, Das Jahrhundert der Reformation. Göttingen 1966. S. 315–331

BUDDECKE, WERNER: Die Handschrift Jakob Böhmes (1. Mitteilung). In: Nachrichten von der Gesellschaft der Wissenschaften zu Göttingen. Philos.-hist. Klasse. Berlin 1933 – 2. Mitteilung: a. a. O. Neue Folge Band 1. Berlin 1934

BUDDECKE, WERNER: Verzeichnis von Jakob-Böhme-Handschriften. Göttingen 1934

BUDDECKE, WERNER: Die Jakob Böhme-Ausgaben. Ein beschreibendes Verzeichnis. 2 Bde. Göttingen 1937 und 1957

BUDDECKE, WERNER: Zur Textgeschichte der Werke Jacob Böhmes. In: Kant-Studien Bd. 42. Leipzig 1943. S. 238–244

BUDDECKE, WERNER: Die Böhme-Handschriften und ihr Schicksal. In: The Jacob Boehme Society Quarterly vol. 1, Nr. 4, New York 1953, S. 17–22

CHENEY, SHELDON: Men who have walked with God. New York 1945 – Dt.: Vom mystischen Leben. Wiesbaden 1949. S. 283–337

DEUSSEN, PAUL: Jakob Boehme. Über sein Leben und seine Philosophie. Kiel 1897 – 3. Aufl. 1925

EBERTIN, ELSBETH: Der erleuchtete Gottmensch und Christusverehrer J. Böhme. Görlitz 1924

FECHNER, HERMANN ADOLPH: Jakob Böhme. In: Neues Lausitzisches Magazin Bd. 33/34. Görlitz 1857

GRUNSKY, HANS: Jacob Böhme. Stuttgart 1956 (Frommanns Klassiker der Philosophie. XXXIX)

HAMBERGER, JULIUS: Die Lehre des deutschen Philosophen Jakob Böhme. München 1844

HANKAMER, PAUL: Jakob Böhme. Gestalt und Gestaltung. Bonn 1924

HIRSCH, EMANUEL: Jakob Böhme. In: Geschichte der neuern evangelischen Theologie Bd. II. Gütersloh 1951. S. 208–255

JECHT, RICHARD (Hg.): Jakob Böhme und Görlitz. Ein Bildwerk. Görlitz 1924

JECHT, RICHARD: Die Lebensumstände Jakob Böhmes. In: J. Böhme. Gedenkgabe der Stadt Görlitz. Görlitz 1924; ferner in: Neues Lausitzisches Magazin N. F. Bd. 100. Görlitz 1924. S. 179–248

KANTZENBACH, FRIEDRICH WILHELM: Jakob Böhme. In: Orthodoxie und Pietismus. Gütersloh 1966 (Evangelische Enzyklopädie. 11/12). S. 120 f

KOYRÉ, ALEXANDRE: La philosophie de J. Böhme. Paris 1929

LASSON, ADOLF: Jacob Böhme. Berlin 1897

LUDOVICA, E. [d. i. ELSE LUDWIG]: Jakob Boehme, der Görlitzer Mystiker. Schmiedeberg 1909

MARTENSEN, HANS: J. Böhme. Leipzig 1882

MARTENSEN, HANS: J. Böhme. His life and teaching or studies in theosophy. London 1885

MUSES, CHARLES A.: Illumination on Jacob Boehme. New York 1951

NIGG, WALTER: Heimliche Weisheit. Mystisches Leben in der evangelischen Christenheit. Zürich 1959. S. 146–173

PEIP, ALBERT: Jakob Böhme. Leipzig 1860

PEUCKERT, WILL-ERICH: Das Leben Jacob Böhmes. Jena 1924; 2. Aufl. in: J. Böhme, Sämtliche Schriften Bd. 10. Stuttgart 1961

RICHTER, LIESELOTTE C.: Jakob Böhmes mystische Schau. Hamburg 1943 – Neuausg. 1949

SCHREY, RUDOLF: Die Lehre des Jacob Böhme. Hamburg 1925

STEINER, RUDOLF: Jakob Böhme (Berliner Vortrag vom 9. 1. 1913). In: STEINER, Ergebnisse der Geistesforschung. Dornach 1960

STOUDT, JOHN J.: Sunrise to eternity. A study in J. Boehme's life and thought. Mit Vorwort von Paul Tillich. Philadelphia 1957

Umbreit, August E.: Jakob Boehme. Heidelberg 1835
Vetterling, Hermann: The illuminate of Görlitz Jakob Böhme. Life and philosophy. A comparative study. Leipzig 1923
Voigt, Felix: Beiträge zum Verständnis Jakob Böhmes. Vom Wesen seiner Persönlichkeit und seiner Gedankenwelt. In: J. Böhme. Gedenkgabe der Stadt Görlitz. Görlitz 1924
Weiss, Victor: Die Gnosis Jakob Böhmes. Zürich 1955

5. Einzeluntersuchungen

Alleman, George N.: A critique of some philosophical aspects of the mysticism of J. Boehme. Philadelphia 1932
Backer, C. J.: Pre-requisites for the study of J. Boehme. London 1920
Baden, Hans Jürgen: Das religiöse Problem der Gegenwart bei Jakob Böhme. Leipzig 1939
Bastian, D.: Der Gottesbegriff bei Jakob Böhme. [Diss.] Kiel 1904
Benz, Ernst: Die Geschichtsmetaphysik Jakob Böhmes. In: Vierteljahresschrift für Literaturwissenschaft und Geistesgeschichte XIII/1935, H. 3, S. 421 f
Benz, Ernst: Zur metaphysischen Begründung der Sprache bei Jakob Böhme. In: Euphorion 37 (1936), S. 340–357
Benz, Ernst: Der vollkommene Mensch nach Jakob Böhme. Stuttgart 1937
Benz, Ernst: Der Mensch und die Sympathie aller Dinge am Ende der Zeiten (nach J. Boehme und seiner Schule). In: Eranos-Jahrbuch XXIV (1955). Zürich 1956. S. 133 f
Berdjajew, Nikolaj: Jakob Böhmes Lehre vom Ungrund und Freiheit. In: Blätter für deutsche Philosophie 6. Berlin 1932
Bieker, J.: Das Menschenbild Jakob Böhmes. [Diss.] Münster 1945
Brinton, H.: The mystic will based on a study of the philosophy of J. Böhme. New York 1930
Buber, Martin: Über Jakob Böhme. In: Wiener Rundschau Bd. V, 12 vom 15. Juni 1901
Elert, Werner: Die voluntaristische Mystik Jakob Böhmes. In: Neue Studien zur Geschichte der Theologie und Kirche. Berlin 1913
Elert, Werner: Jakob Böhmes deutsches Christentum. Berlin 1914
Faust, August: Die Handschrift Jakob Böhmes. Ein Hinweis. Breslau 1940
Faust, August: Die weltanschauliche Grundhaltung Jakob Böhmes. In: Zeitschrift für deutsche Kulturphilosophie NF Bd. 6, H. 2. Tübingen 1940. S. 89–111
Faust, August: Jacob Böhme als Philosophus Teutonicus. Ein Beitrag zur Unterscheidung deutschen und westeuropäischen Denkens. Stuttgart 1941
Gerhardt, Ferdinand August: Untersuchung über das Wesen des mystischen Grunderlebnisses. Ein Beitrag zur Mystik Meister Eckharts, Luthers und Böhmes. [Diss.] Greifswald 1923
Grunsky, Hans: Jacob Böhme als Schöpfer einer germanischen Philosophie des Willens. Hamburg 1940
Harless, Adolf von: Jakob Böhme und die Alchymisten. Berlin 1870 – Neuausg. 1882
Jaffé, Aniela: Jacob Boehme. Der Gedanke der Polarität. In: C. G. Jung, Gestaltungen des Unbewußten. Zürich 1950. S. 321–327
Jungheinrich, H. G.: Das Seinsproblem bei Jakob Böhme. Hamburg 1940
Kayser, Wolfgang: Böhmes Natursprachlehre und ihre Grundlagen. In: Euphorion 31 (1930), S. 521–562
Kielholz, A.: Jakob Boehme. Ein pathologischer Beitrag zur Psychologie der Mystik. Leipzig 1919

Koyré, Alexandre: Die Gotteslehre Jakob Boehmes. In: Husserl-Festschrift. Ergänzungsband zum Jahrbuch für Philosophie und phänomenologische Forschung 1929. S. 225–281

Nobile, E.: I limiti del misticismo di J. Boehme. Neapel 1936

Pältz, Eberhard H.: Jacob Böhmes Hermeneutik, Geschichtsverständnis und Sozialethik. [Habilitationsschrift] Jena 1961

Pältz, Eberhard H.: Zum Problem von Glaube und Geschichte bei Jacob Böhme. In: Evangelische Theologie 22 (1962), S. 156 f

Pältz, Eberhard H.: Zum pneumatischen Schriftverständnis Jacob Böhmes. In: Kirche, Theologie, Frömmigkeit. Festschrift für G. Holtz. Berlin 1965. S. 119–127

Pältz, Eberhard H.: Zur Eigenart des Spiritualismus Jacob Böhmes. In: Wort und Welt. Festgabe für Erich Hertzsch. Berlin 1968

Pältz, Eberhard H.: Mysterium Magnum. In: Kindlers Literaturlexikon Bd. V. Zürich 1969. Sp. 121–123

Penny, Anne Judith: Studies in Jacob Boehme (ed. C. J. Berker). London 1912

Peuckert, Will-Erich: Einleitungen zu J. Böhme, Sämtliche Schriften (Faksimile-Druck der Gesamtausgabe von 1730). Stuttgart 1955 f

Rosenberg, Alfons: Meditationsbilder aus den Werken Jakob Böhmes. In: Rosenberg, Die christliche Bildmeditation. München-Planegg 1955. S. 246–256

Schäublin, P.: Zur Sprache Jakob Böhmes. Winterthur 1963

Schulze, Wilhelm August: Jacob Boehme und die Kabbala. In: Judaica 11/1955, H. 1, S. 12 f

Schwarz, Wolfgang: Pico della Mirandola und Jakob Böhme. In: Deutsches Pfarrerblatt 1969, S. 755 f

Scott, W.: The confession of Jacob Böhme. New York 1920

Solms-Rödelheim, Günter: Grundvorstellungen Jacob Böhmes und ihre Terminologie. [Diss.] München 1962

Stewing, Christine: Böhmes Lehre vom «inneren Wort» in ihrer Beziehung zu Franckenbergs Anschauung vom Wort. [Diss.] München 1953

Stoudt, John Joseph: The mysticism of Jacob Böhme. [Diss.] Edinburgh 1942

Voigt, F.: Das Böhme-Bild der Gegenwart. In: Neues Lausitzisches Magazin 102 (1962), S. 252–312

6. Zur Wirkungsgeschichte

Baader, Franz von: Fermenta Cognitionis. In: Sämtliche Werke. Leipzig 1851 f. Bd. II, S. 199 f; S. 367–385

Baader, Franz von: Vorlesungen über die Lehre J. Böhmes mit besonderer Beziehung auf dessen Schrift «Mysterium Magnum». In: Sämtliche Werke. Leipzig 1855. Bd. XIII, S. 159–236

Baader, Franz von: Privatvorlesungen über Jakob Böhmes Lehre, mit besonderer Beziehung zu dessen Schrift «Von der Gnadenwahl». In: Sämtliche Werke. Leipzig 1855. Bd. XIII, S. 57–158

Baader, Franz von: Vorlesungen über J. Böhmes Theologumena und Philosopheme. In: Sämtliche Werke. Leipzig 1852. Bd. III, S. 357–436

Bailey, Margret L.: Milton and J. Böhme. A study of German mysticism in 17th century. New York 1914

Benz, Ernst: Schellings theologische Geistesahnen. In: Abhandlungen der Wissenschaft und der Literatur. Mainz 1955

Drott, Heinrich Arnim: J. Böhme und J. G. Hamann. Eine vergleichende Untersuchung. [Diss.] Freiburg i. B. 1956

Ederheimer, Edgar: Jakob Böhme und die Romantiker. Heidelberg 1904

Evans, E. Lewis: Boehme's contribution the English speaking world. [Diss.] Kiel 1956

Feilchenfeld, Walter: Der Einfluß Jakob Boehmes auf Novalis. In: Germanistische Studien, H. 22. Berlin 1922

Giese, Fritz: Der romantische Charakter. Bd. I: Die Entwicklung des Androgynenproblems in der Frühromantik. Langensalza 1919

Hauck, Wilhelm Albert: Oetinger und Jakob Böhme. In: Hauck, Das Geheimnis des Lebens. Naturanschauung und Gottesauffassung F. Chr. Oetingers. Heidelberg 1947. S. 159–179

Häussermann, Friedrich: Theologia Emblematica. Kabbalistische und alchemistische Symbolik bei F. Chr. Oetinger und deren Analogien bei Jakob Böhme. In: Blätter für Württembergische Kirchengeschichte, 68./69. Jg. S. 207–346

Hobhouse, S.: Isaak Newton and Jakob Boehme. Belgrad 1937

Hutin, Serge: Les disciples anglais de Jacob Boehme. Paris 1960

Leese, Kurt: Von Jakob Böhme zu Schelling. In: Weisheit und Tat, H. 10. Erfurt 1927

Oetinger, Friedrich Christoph: Aufmundernde Gründe zur Lesung der Schriften Jakob Böhmes. In: Sämtliche Schriften. Stuttgart 1858 f. Bd. II, 1, S. 247–328

Oetinger, Friedrich Christoph: Kurzer Auszug der Hauptlehren Jakob Böhmes. Leipzig 1920

Paschek, Carl: Der Einfluß Jacob Böhmes auf das Werk Friedrich von Hardenbergs. Bonn 1967

Popp, Karl Robert: Jakob Böhme und Isaak Newton. [Diss.] Leipzig 1935

Poppe, Kurt: Über den Ursprung der Gravitationslehre. J. Böhme, H. More, I. Newton. In: Die Drei 23/1964, H. 4, S. 313–340

Richter, Julius: Jakob Böhme und Goethe. Eine strukturpsychologische Untersuchung. In: Jahrbuch des Freien Deutschen Hochstifts 1934. S. 3–55

Schneider, Robert: Schellings und Hegels schwäbische Geistesahnen. Würzburg–Aumühle 1938

Schulze, Wilhelm August: Der Einfluß Böhmes und Oetingers auf Schelling. In: Blätter für Württembergische Kirchengeschichte, 1957, S. 171–180

Schüssler, Ingrid: Böhme und Hegel. In: Jahrbuch der Schlesischen Friedrich Wilhelms Universität zu Breslau, Bd. 10. Würzburg 1965. S. 46–58

Struck, W.: Der Einfluß Jakob Böhmes auf die englische Literatur des 17. Jahrhunderts. Berlin 1936

Thune, Nils: The Boehmenists and the Philadelphians. A contribution to the study of English mysticism in the 17th and 18th centuries. Uppsala 1948

7. Zur Religions- und Geistesgeschichte

Allwohn, Adolf: Der Mythos bei Schelling. Berlin 1927

Althaus, H.: Schefflers «Cherubinischer Wandersmann». Dichtung und Mythos. [Diss.] Gießen 1956

Alverdes, Paul: Der mystische Eros in der geistlichen Lyrik des Pietismus. [Diss.] München 1921

Aram, Kurt: Magie und Mystik in Vergangenheit und Gegenwart. Berlin 1929

Beckh, Hermann: Vom Geheimnis der Stoffeswelt (Alchymie). Basel 1931 – Neuausg. 1942

Behling, Lottlisa: Rembrandts sogenannter «Dr. Faustus», Joh. Bapt. Portas Magia naturalis und Jacob Böhme. In: Oud-Holland. Amsterdam 1964. S. 49–77

BENZ, ERNST: Die Mystik in der Philosophie des deutschen Idealismus. In: Euphorion 46 (1952)

BENZ, ERNST: Adam. Der Mythus vom Urmenschen. München-Planegg 1955

BENZ, ERNST: Schöpfungsglaube und Endzeiterwartung. München 1955

BENZ, ERNST: Die christliche Kabbala. Zürich 1958

BENZ, ERNST: Der Übermensch. Das Bild des Übermenschen in der europäischen Geistesgeschichte; Das Bild des Übermenschen in der christlichen Religionsphilosophie der Gegenwart. Zürich–Stuttgart 1961

BENZ, ERNST: Die Vision. Erfahrungsformen und Bilderwelt. Stuttgart 1969

BERNUS, ALEXANDER VON: Alchymie und Heilkunst. Nürnberg 1948

BOCK, EMIL: Vorboten des Geistes. Schwäbische Geistesgeschichte und christliche Zukunft. Stuttgart 1929 – Neuausg. 1955

BOMMERHEIM, PAUL: Die Welt Jakob Böhmes. In: Deutsche Vierteljahrsschrift für Literaturwissenschaft und Geistesgeschichte 20 (1942), S. 340–358

BORNKAMM, HEINRICH: Luther und Jakob Böhme. Arbeiten zur Kirchengeschichte, Bd. 2. Bonn 1925

BORNKAMM, HEINRICH: Renaissancemystik. Luther und Böhme. In: Lutherjahrbuch 1927. S. 156–197

DIBELIUS, FRANZ: Gottfried Arnold. Sein Leben und seine Bedeutung für Kirche und Theologie. Berlin 1873

ELLINGER, GEORG: Zur Frage nach den Quellen des «Cherubinischen Wandersmannes». In: Zeitschrift für deutsche Philologie 52 (1927), S. 127–137

ELLINGER, Georg: Angelus Silesius. Ein Lebensbild. Breslau 1927

ELLINGER, GEORG: Zur Beurteilung des «Cherubinischen Wandersmannes». In: Zeitschrift für deutsche Bildung 5 (1929), S. 80–83

ESCHRICH, KÄTHE: Studien zur geistlichen Lehre Quirin Kuhlmanns. [Diss.] Greifswald 1929

FLEMMING, WILLI: Die Auffassung des Menschen im 17. Jahrhundert. In: Deutsche Vierteljahrsschrift für Literaturwissenschaft und Geistesgeschichte, Bd. 6, S. 403 f

FLEMMING, WILLI: Deutsche Kultur im Zeitalter des Barock. Potsdam o. J. [1937]

FUCHS, F.: Die Ideenwelt des «Cherubinischen Wandersmannes». [Diss.] Wien 1955

GIES, HILDBURGIS: Eine lateinische Quelle zum «Cherubinischen Wandersmann» des Angelus Silesius. [Diss.] Münster 1929

GIES, HILDBURGIS: Ein Dichter und Mystiker des Barock (Johann Scheffler). In: Literaturwissenschaftliches Jahrbuch der Görresgesellschaft 4 (1929), S. 129–142

HECKEL, HANS: Geschichte der deutschen Literatur in Schlesien. Bd. I. Breslau 1929

HOCKE, GUSTAV RENÉ: Manierismus in der Literatur. Hamburg 1959 (= rowohlts deutsche enzyklopädie. 82/83)

HOFER, HANS: Die Weltanschauungen der Neuzeit. Elberfeld 1928

HOFFMEISTER, JOHANNES: Quirinus Kuhlmann. In: Euphorion 31 (1930), S. 591 f

HUNKE, SIGRID: Europas andere Religion. Die Überwindung der religiösen Krise. Düsseldorf–Wien 1969

IHRINGER, BERNHARD: Quirinus Kuhlmann. In: Zeitschrift für Bücherfreunde, NF 1, 1909, S. 179 f

JONES, RUFUS M.: Spiritual reformers in the 16th and 17th century. London 1928

JUNG, C. G.: Psychologie und Alchemie. Zürich 1944 – Neuausg. 1952

JUNG, C. G.: Gestaltungen des Unbewußten. Zürich 1950

KAHLERT, AUGUST: Angelus Silesius. Eine literarhistorische Untersuchung. Breslau 1853

KAMEN, HENRY: Intoleranz und Toleranz zwischen Reformation und Aufklärung. (Aus dem Englischen.) München 1967

Karrer, Otto: Angelus Silesius. In: Hochland XXVIII/1939/31, S. 297–314

Kern, Franz: Johann Schefflers «Cherubinischer Wandersmann». Leipzig 1866

Knörrlich, W.: Kaspar von Schwenckfeld und die Reformation in Schlesien. [Diss.] Bonn 1957

Koffmane, Gustav: Die religiösen Bewegungen in der evangelischen Kirche Schlesiens während des 17. Jahrhunderts. Breslau 1880

Köhler, Willibald: Angelus Silesius. In: Religio Nr. 8. München 1929

König, Paula: Die mystische Lehre des Angelus Silesius in religionsphilosophischer und -psychologischer Deutung. [Diss.] München 1942

Lackner, M.: Geistfrömmigkeit und Enderwartung. Studien zum preußischen und schlesischen Spiritualismus. Stuttgart 1959

Leese, Kurt: Krisis und Wende des christlichen Geistes. Berlin 1941

Leese, Kurt: Die Religion des protestantischen Menschen. München 1948

Linde, Fritz: Das Gegensätzliche in Johann Schefflers Lebensgefühl. [Diss.] Leipzig 1924

Lütgert, Wilhelm: Die Religion des deutschen Idealismus. 2 Bde. Gütersloh 1923

Mahn, Paul: Die Mystik des Angelus Silesius. [Diss.] Rostock 1892

Mahnke, Dietrich: Unendliche Sphäre und Allmittelpunkt. Beiträge zur Genealogie der mathematischen Mystik. Halle 1937

Maier, Hans: Der mystische Spiritualismus Valentin Weigels. Gütersloh 1926

Maron, Gottfried: Individualismus und Gemeinschaft bei Caspar von Schwenckfeldt. Stuttgart 1961

Meier-Lefhahn, E.: Das Verhältnis von mystischer Innerlichkeit und literarischer Darstellung bei Angelus Silesius. [Diss.] Heidelberg 1958

Milch, Werner: Daniel von Czepkos Stellung in der Mystik des 17. Jahrhunderts. In: Archiv für Kulturgeschichte 20 (1920), S. 261 f

Milch, Werner: Daniel von Czepkos Persönlichkeit und Leistung. Breslau 1934

Neuwinger, Rudolf: Die deutsche Mystik unter besonderer Berücksichtigung des «Cherubinischen Wandersmann» Schefflers. [Diss.] Leipzig 1937

Nigg, Walter: Heimliche Weisheit. Zürich 1959

Nigg, Walter: Einführung zu: Gottfried Arnold, Das Geheimnis der göttlichen Sophia (1700). Neudruck: Stuttgart 1963. S. V–XXXIX

Opel, Otto Julius: Valentin Weigel. Ein Beitrag zur Literatur- und Kulturgeschichte Deutschlands im 17. Jahrhundert. Leipzig 1864

Peuckert, Will-Erich: Die Rosenkreuzer. Zur Geschichte einer Reformation. Jena 1928

Peuckert, Will-Erich: Schlesien. Biographie der Landschaft. Hamburg 1950

Peuckert, Will-Erich: Pansophie. Ein Versuch zur Geschichte der Weißen und Schwarzen Magie. Berlin 1956

Reinhard, Kurt: Mystik und Pietismus. München 1925

Riemschneider, Ursula: Die Erscheinung der unio mystica in den Dichtungen Daniel von Czepkos und Johann Schefflers. [Diss.] Straßburg 1942

Rocholl, Rudolf: Beiträge zu einer Geschichte deutscher Theosophie. Berlin 1856

Rosenberg, Alfons: Der Christ und die Erde. Oberlin und der Aufbruch zur Gemeinschaft der Liebe. Olten–Freiburg i. B. 1953

Schmieder, Karl Christoph: Geschichte der Alchemie (1832). Neudruck: Ulm 1959

Schneider, Heinrich: Joachim Morsius und sein Kreis. Zur Geistesgeschichte des 17. Jahrhunderts. Lübeck 1929

Scholem, Gershom: Die jüdische Mystik in ihren Hauptströmungen. Frankfurt a. M. 1957

Scholem, Gershom: Zur Kabbala und ihrer Symbolik. Zürich 1960

Scholem, Gershom: Von der mystischen Gestalt der Gottheit. Studien zu Grundbegriffen der Kabbala. Zürich 1962

SCHOLTE, J. H.: Quirinus Kuhlmann als Dichter des Hochbarock. In: Vom Geiste neuer Literaturforschung. Festschrift für Oskar Walzel. Potsdam 1924. S. 24 f

SCHÖMANN, J. B.: Barocke Mystik in Angelus Silesius' «Cherubinischen Wandersmann». In: Literaturwissenschaftliches Jahrbuch der Görres-Gesellschaft 4. 1929

SCHRADE, H.: Abraham von Franckenberg. [Diss.] Heidelberg 1923

SCHRADER, W.: Angelus Silesius und seine Mystik. Halle 1843

SCHRÖDTER, WILLY: Das Rosenkreuz. Zürich 1955

SCHROEDER, WILLIAM VON: Gottfried Arnold. Heidelberg 1917

SCHULZ, KARL: Schlesische Gottsucher. In: Der gottgläubige Deutsche, Buch 10. Jauer 1939

SEEBERG, ERICH: Zur Frage der Mystik. Leipzig–Erlangen 1921

SEEBERG, ERICH: Gottfried Arnold. Die Wissenschaft und die Mystik seiner Zeit. Meerane 1923

SELTMANN, C.: Angelus Silesius und seine Mystik. Breslau 1896

SILBERER, HERBERT: Probleme der Mystik und ihrer Symbolik. Wien 1914 – Neuausg. Darmstadt 1961

STEINER, RUDOLF: Die Theosophie des Rosenkreuzers. 14 Vorträge Berlin 1911 – 5. Aufl. Dornach 1962

STEINER, RUDOLF: Die Chymische Hochzeit des Christian Rosenkreutz. In: STEINER, Philosophie und Anthroposophie. Gesammelte Aufsätze. Dornach 1965

STEINER, RUDOLF: Die Mystik im Aufgange der neuzeitlichen Geisteslebens und ihr Verhältnis zur modernen Weltanschauung. Berlin 1901 – 5. Aufl. Dornach 1960

STRASSER, KARL THEODOR: Der junge Czepko. München 1912

TRAUTWEIN, JOACHIM: Die Theosophie Michael Hahns und ihre Quellen. Stuttgart 1969

TRUNZ, ERICH: Weltbild und Mystik im deutschen Barock. In: Aus der Welt des Barock. Stuttgart 1957

WEIGELT, HORST: Die Geschichte des Schwenckfeldertums in Schlesien. [Habilitationsschrift] Erlangen 1969

WENTZLAFF-EGGEBERT, FRIEDRICH WILHELM: Wandlungen im religiösen Bewußtsein Daniel von Czepkos. In: Zeitschrift für Kirchengeschichte, 3. Folge II, Bd. 51, 1932, S. 480–511

WENTZLAFF-EGGEBERT, FRIEDRICH WILHELM: Deutsche Mystik zwischen Mittelalter und Neuzeit. Tübingen 1944 – Neuausg. 1947

WIESER, MAX: Peter Poiret, der Vater der romanischen Mystik in Deutschland. München 1932

WINDEL, RUDOLF: Mystische Gottsucher der nachreformatorischen Zeit. Bern 1912

WYRTKI, W.: Czepko im Mannesalter. [Diss.] Breslau 1919

ZELLER, WINFRIED: Die Schriften Valentin Weigels. [Diss.] Berlin 1940

ZELLER, WINFRIED (Hg.): Der Protestantismus des 17. Jahrhunderts. Klassiker des Protestantismus Bd. V. Bremen 1962

NAMENREGISTER

Die kursiv gesetzten Zahlen bezeichnen die Abbildungen

QUELLENNACHWEIS DER ABBILDUNGEN

Archiv für Kunst und Geschichte, Berlin: 6, 10, 16/17, 27, 32, 42/43, 61, 72, 132 / Staatsbibliothek, Berlin: 8 unten, 36/37, 44, 49, 51, 113, 120/121, 122, 125, 126 links, 126 rechts, 131, 133 / Historia-Photo, Bad Sachsa: 8 oben, 19, 26, 30/31, 31 oben, 38, 40, 128 / Slg. Gerhard Wehr: 12, 13, 14, 22/23, 25, 35, 57, 68, 70, 71, 74, 82, 87, 99, 103, 114, 116, 119 / Rowohlt-Archiv: 21, 46, 52, 56, 59, 91, 100, 105, 127 / Foto Klaus Eschen, Berlin: 50 / Ullstein-Bilderdienst, Berlin: 62, 65, 76, 85, 89, 95, 107 / Schiller-Nationalmuseum, Marbach a. N.: 80

rowohlts monographien

GROSSE PERSÖNLICHKEITEN IN SELBSTZEUGNISSEN UND
BILDDOKUMENTEN · HERAUSGEGEBEN VON KURT KUSENBERG